平凡社新書
1029

海の向こうでニッポンは

井上章一
INOUE SHŌICHI

HEIBONSHA

海の向こうでニッポンは●目次

第一章　ベトナムから盆栽へ……9

第二章　ニッポンからサツマまで……29

第八章　ことばとアニメの底力……169

第九章　酒と食は海を越え

第一章　ベトナムから盆栽へ

京阪神のホーチミン

あれは、今から三十年ちかく前、一九九〇年代のことになる。私は用事があり、ベトナムのホーチミン市をおとずれた。その時におどろかされたことから、書きだしたい。同市を訪問する前に、私は近郊の飛行場へおりている。空港ビルと飛行機をつなぐブリッジは、用意されていなかった。乗客は、だからタラップで地上に立ち、そこから空港バスへのりこむことになる。

くだんのバスは、まちがいなく日本製であった。車体には、「ワンマン」や「非常口」といった表示、日本語の文字がおどっている。のみならず、私じしんにも見おぼえがあった。

車内に入って、その正体をつきとめる。神戸の市バスであった。窓枠のところに、「兵庫銀行」の広告が、そのままのこされている。もう、まちがいない。神戸市でつとめを終えたバスが、再利用されていたのである。

同じような遭遇は、ホーチミンの市中でもくりかえされた。私は街でも、神戸の市バスを見かけている。いや、それだけではない。見なれた京都の市バスも目撃した。さらに、澪標（みおつくし）のマークがそえられた大阪の市バスとも、でくわしている。この街では、京阪神の市バスに、新しい役目をあたえていたことが、よくわかった。

同じモータープールに、京阪神の市バスがならんでいましたよ——。私じしんは見ていないが、そう教えてくれた旅行者もいる。どうやら日本ではありえない光景が、この街では展開されていたらしい。

京都と大阪、そして神戸には、それぞれ街の個性がある。たがいの連帯感、関西都市としての一体性は、あまりない。京阪神でまとまればいいような事態にさいしても、個別の対応をとりがちである。こまったことだとなげく声を、しばしば日本では聞かされてきた。

しかし、ホーチミン市では、京阪神の市バスが仲良く走っている。私はこの光景に、日本だと見いだしにくい関西三都の絆を幻視した。ここまでくれば、たがいに手をたずさえることができるのだ、と。

私は十年ほど前にも、この同じホーチミン市へでかけている。だが、もう日本の中古バスは一掃されていた。都市バスは、みな新しいもの、ホーチミン市が自前で用意したそれになっている。

三都の連携という幻影は、ある一定の期間しかたもてなかったようである。

ハノイのカンサイ

関西国際空港は、一九九四年に完成した。その竣工後まもなく、私はベトナムへでかけている。さきほどは、ホーチミンでの見聞をとりあげた。こんどは、ハノイのそれを書きとめたい。

ハノイでは、ホテル・ハノイにとまっている。あるいは、ハノイ・ホテルだったろうか。宿へは、タクシーでたどりついた。

私はとちゅうの路地で、「KANSAI」と書かれた横断幕を、いくつも目にしている。両側の電柱にささえられるかっこうではためくそれらの下を、車で走っていった。KANSAI、KANSAI……とつづく、ゲート群を、私はくぐったのである。

関西がハノイで歓迎されている。そういえば、関空もできたばかり。そのことが、街中でいわれているのだろうか。うかつにも私はそううけとめ、関西人として心をおどらせている。

ホテルへつくと、宿の玄関口では、その名が漢字でもしるされていた。「河内大飯店」と。これも「河内大酒店」だったかもしれない。いずれにせよ、KANSAIを通過したその直後に、「河内」と遭遇し、私はとまどった。ここは河内(かわち)の宿なのか、と。

聞けば、ハノイを漢字で書くと、河内になるらしい。ソンコイ川の内側というような含みも、あるのだろうか。大阪の河内も、摂津から見わたせば淀川の内側に位置するせいで、そう名づけられている。私はハノイへきて、河内の語源をふりかえることができた。

ついでに、ＫＡＮＳＡＩのことも、あれはなんだとたずねている。ホテルの従業員は、こうこたえてくれた。ちかぢか、山本寛斎(かんさい)のファッションショーが、ハノイでひらかれる。その告知だ、と。

ＫＡＮＳＡＩは関西ならぬ、寛斎であった。この説明で、私は思い知らされる。世界へでれば、関西の知名度など、たかが知れている。それは、カンサイ・ヤマモトひとりの名声にも、遠くおよばない、と。

海外の空港ではＫＡＮＳＡＩという表示を、まず見ない。航空便の案内板では、関空のことがＯＳＡＫＡとしるされている。あれでは伊丹空港との区別がつかないのに、どうしてＯＳＡＫＡなのか。そういぶかしがられたむきは多かろう。

山本寛斎がＫＡＮＳＡＩはうちの銘柄だと、その名を独占しているからでは、もちろんない。国際的な規約で、空港には都市名をつけなければならないこととなっている。関西国際空港は、日本国内でしか通用しないローカルな名称なのである。

虎党の失意は海を越え

ベトナムでの想い出話を、二回つづけざまに書いた。はじめから、そうもくろんでいたわけではない。しかし、執筆へむきあっているうちに、なんとなく弾みがついてきた。今回も、そして今後しばらくの間は、ベトナムで見聞した話を書きとめたい。

やはり一九九〇年代なかばのことである。私は旧王宮のあるフエを、おとずれた。この古都はベトナムの真ん中あたりに位置している。私は飛行場のあるダナンから、バスにのって目的地へむかった。

車中からは、あたりの光景が、いやおうなく見えてくる。フエの近くでは、山道を歩く男の姿も、その後ろ姿だが、目に入った。見れば、男は縦縞模様の服をまとっている。そのいでたちは、阪神タイガースのユニホームをしのばせた。

まさか、こんなところに阪神ファンなど、いるはずがない。縦縞はぐうぜんの一致であろう。最初、私は自分にそう言い聞かせた。

くだんの男は、白い帽子をかぶっている。バスが彼を通りこしたおりに、私は前のほうもたしかめた。そして、確認したのである。その帽子には、「H」と「T」をくみあわせたマークがあしらわれていたことを。もう、まちがいない。男は阪神のユニホームを身につけていたのである。まあ、ズボンはちがっていたが。

それにしても、どうしてベトナムの山間部に、こんなものがとどいたのか。さきほどものべたが、ひいき筋のひとりだとは、とうてい思えない。何かほかの理由があって、この衣装は彼(か)の地へたどりついたのだろう。

フエへの途上、私はバスの中で、ひたすらその理由を考えた。そして、ひとつの仮説を想いついている。根拠のない推論だが、ここに披露しておこう。悲観的な阪神ファンの呟(つぶや)きに、つきあっていただきたい。

二十世紀末の阪神タイガースは、ひどい低迷期をむかえていた。ほぼ毎年のように、最下位を余儀なくされていたものである。

ちょうどそのころ、日本ではカンボジアの難民に救援物資をおくる運動が展開されていた。古着を段ボールに入れて、これに貢献しようとした人は、少なくなかったろう。

なかには、阪神に愛想をつかしたファンだっていたかもしれない。応援用のユニホームを、段ボールへつめこんだ者も。私が目撃した縦縞も、そのひとつではなかったか。日本からおくられた衣服を着て、難民がベトナムの山間部へ出てきたのだと愚考する。

鎖国と日本橋

日本橋と呼ばれる橋が、ベトナムのホイアンという街にある。チャンフー通りとグエンティミンカイ通りをつなぐところに、この橋はかけられている。

名前は日本橋だが、どう見ても日本の橋とはうけとれない。屋根の覆いもあるりっぱな橋だが、その外観は中国的である。とりわけ、屋根のてっぺんをいろどる装飾は、その印象を強くただよわす。どうして、これが日本橋と名づけられたのか。

十六世紀の安土桃山時代に、日本人の交易活動は東南アジアへひろがった。ベトナム、カンボジア、タイ、フィリピンなどとの間に、販路をもうけている。港に近いところでは、日本人町をいとなんでもいた。

ホイアンにも、日本人のすみついていたことがわかっている。チョンマゲをゆった着物姿の男たちが、一時期はおおぜいいたのである。日本橋という名がのこったのは、そのためであろう。

いっぽう、十七世紀の徳川政権は、しだいに海外との交渉をてびかえるようになる。一六三〇年代からは、とくにその傾向が強まった。いわく、異国へ船をつかわしてはいけない。異国からかえってきた日本人は死罪に処す、などなど、と。

そのため、ホイアンなどの日本人町には、日本から交易商がやってこなくなる。次世代をになう日本人は、おのずと消えうせた。彼の地にとどまる日本人も、現地の人びとと通婚し、その社会へとけこんでいく。

当初の日本人町には、日本風の家屋がならんでいた。『茶屋新六交趾国貿易渡海図』に、その日本的な町並の様子は、はっきりとえがかれている。だが、この光景は、おそくとも十七世紀末には消失した。中国人商人が形成する中国的な町並の中に、のみこまれていく。

ホイアンにかぎったことではない。十七世紀前半までの日本人町は、みな同じ途をたどった。中国風の橋なのに、日本橋という名だけはたもたれている。そんなホイアンは、まだ日本の痕跡をとどめているほうだと言えるだろう。

このごろ、日本の歴史学界は江戸時代の鎖国を、否定的に論じだしている。鎖国などなかったと、声高に言いたてる論客も少なくない。「鎖国」という言葉の定義いかんによっては、そうも言えるのだろうか。

しかし、ホイアンの日本橋を見ていると、やはり国を閉ざしたんだなと思えてくる。

モンゴルの水軍をしりぞけて

モンゴルの軍勢が海をこえ日本へおしよせたのは、十三世紀のことであった。ふつう、台風のおかげで、その軍船は多くが海のもくずになったと言われている。日本は、いわゆる神風にたすけられたと、よく語られてきた。

いや、じっさいには、日本側が軍事的にも勝利をとげている。神風うんぬんという話は、祈禱(きとう)にはげんだ寺社の言いぶんにすぎない。自分たちの霊力こそが台風をよびよせ、敵をけちらした。彼らのそんな宣伝が、後世へおおげさにつたえられたとする見方もある。

さて、モンゴルに海からおそわれた歴史なら、ベトナムにもある。この国は、合計三度、モンゴル軍の侵攻をこうむった。水軍でせめたてられたのは、その三度目、一二八七年のことである。

モンゴル軍は、バクダンザンの沿岸にやってくる。その航路が、あらかじめ予想できたせいだろう。ベトナム側は敵がくる前の、まだ潮がひいている時に、海底へ大量の杭をうちこんだ。

潮が満ちれば、もちろんこれらの杭は、海面の下に姿をけす。洋上からは見えなくなる。

そこへ、モンゴルの水軍は集結する。そして、ふたたび水位が下った時、杭は軍船の底をつきやぶった。そのため水軍は、ほぼ全滅したのだという。

作戦の指揮をとったのは、チャン・フンダオ。王族のひとりで、この功績により大王となった。死後は神格化され、今でも民族的な英雄としてたたえられている。

じっさい、ベトナムでは多くの都市にチャン・フンダオ通りがある。ホーチミン市でも、メリン広場にりっぱな銅像がたっている。あたりには大きなホテルがたちならぶ。広場でこの像を見たという日本人は、少なくないだろう。

親日家のベトナム人は、よくこのことで日本人に話をふってくる。海からやってきたモンゴル軍をうちまかしたのは、ベトナムと日本だけですね。やはり、両国には歴史の絆がありますよ、と。

しかし、バクダンザンの海戦を知る日本人は、ほとんどいない。チャン・フンダオの名も、よほどの歴史通でないかぎり、つうじないだろう。そもそも、ベトナムへの蒙古襲来を、日本人がどのくらいの割合で、わきまえているか。はなはだ、心もとなく思う。

われわれの歴史的な関心が、なかなかベトナム方面へはむかわないことをかみしめる。

ブレヒトから盆栽へ

ベトナムのホーチミン市で、私は盆栽がたくさんおかれた空地を見つけている。興味をいだき、そばへよってみると、それらは値段のついた商品であった。園芸の店が、屋外の敷地に売り物の盆栽をならべていたのである。一九九〇年代なかばのことであった。

日本のものとは、どこか趣がちがう。たとえば、松の枝ぶりなどが、風変わりに見えた。ただ、それらがおかれたところには、ボンサイと書いてある。いずれもベトナム風の盆栽であることは、うたがえない。

店の主人とも、中年の男性だが、私は言葉をかわしている。おたがいに、たどたどしい英語であった。打てばひびくようなやりとりは、できていない。しかし、私は自分よりやや年上らしい主人の言葉に、知的なきらめきを感じとっている。

その言いっぷりにひかれ、私は質問をくりかえした。そして、彼のおどろくべきキャリアを聞きだすことができたのである。

まだ、旧東欧圏が社会主義の体制下にあったときのことであったという。主人は、留学生として、東ドイツへおもむいた。そして、演劇の研究に没頭したらしい。『三文オペラ』

で知られるブレヒトには、とりわけ情熱をかたむけたと、聞かされた。

ブレヒト劇の上演にも、東ドイツではたずさわっている。ベトナムへは、東欧圏の前衛演劇につうじた人材として、帰国した。一種のエリートで、それなりに将来を嘱望されていたということか。

だが、その後ベトナムは、社会主義の古い体制から脱却する。資本主義の仕組みをおおはばにとりいれる、いわゆるドイモイ政策へつきすすんだ。おかげで、彼が留学中に学んだことも、ベトナムではまったく活用されなくなる。今は盆栽で、なんとか生計をなりたたせているとのことであった。

もう、ブレヒト劇とかかわることはないのか。そうたずねた私へ、主人はさびしそうにこたえてくれた。たまに、ドイツから、そういう演劇人たちがやってくることはある。そんなおりには、店を休んで上演をてつだいもする。しかし、客席はがらがら。今のベトナムに、ブレヒトの居場所はない、と。

いちどは、ドイツの前衛劇にあこがれ、挫折した。そんな主人が、今は日本文化の賜物(たまもの)とも言うべき盆栽とともに、余生をおくっている。その傷ついた精神が、盆栽でいやされることもあるのだろうか。

エルメスも「盆栽」に

もう何年前になるだろうか。あれからずいぶんたつが、正確な年代はおぼえていない。これを読んで、ああ、あのことか、一九××年の話だなと気のつく方も、なかにはおられよう。そういう読者からの御一報があれば、うれしく思う。

ファッションの銘柄に、エルメスというところがある。私はそのエルメスが売りだしているスカーフを、京都の百貨店で見た。と言っても、ふつうのスカーフではない。私の目にとまったスカーフは、「盆栽」と大きくプリントされていた。

くどいが、アルファベットで「ｂｏｎｓａｉ」と書かれていたわけではない。そこには「盆」という漢字と「栽」という漢字が、おどっていた。日本語の「盆栽」がそのまましるされていたのである。

買う気もないのに、私は店の従業員へ問うている。なぜ、エルメスが盆栽なのか、と。これに店の人は、めいわくがりもせず、こたえてくれた。エルメスでは、今年の年間テーマを盆栽にしているんですよ、と。

ということは、パリやミラノでも盆栽のスカーフは売られているんですか。ええ、そうです。エルメス・グループは、よく漢字の言葉をデザインにとりいれます。今年は盆栽ですけど、それだけじゃあありません。ほかの文字をつかった年もあります。

スタッフの方とは、おおむね以上のようなやりとりを、かわしあった。こういう執筆をはじめた今、あらためて思う。あのスカーフも、買っておけばよかったな、と。

その後、しばらくして私はフランスへでかけている。そして、パリ市中に、少なからぬ盆栽店があることを確認した。書店にも、盆栽の写真集なんかが、けっこうならんでいる。日本では年寄りの道楽だと思われているが、あちらの盆栽像はそうでもないらしい。なるほど、これならエルメスもひきつけられる道理だと、私は現地で得心した。

あるフランス人に、こうつげられたこともある。フランス語では、「そりゃあいい」を「セ・ボン」と言う。このごろ、オリエンタルな良さが、「セ・ボンサイ」って言われるようになってきた、と。

べつのフランス人にこの話をしたら、それは嘘だと断言された。井上さんは、からかわれたんだということであるらしい。しかし、ボンサイで日本人をひっかけようとする男がいたことは、多としよう。負けおしみかもしれないが。

ボン祭にもそえられて

盆栽を、ローマ字で「ｂｏｎｓａｉ」と書く。そして、このｂｏｎｓａｉは今、英語の語彙になっている。ためしに、英和辞典かスマートフォンなどの英語検索へ、あたってみてほしい。たいていのものが、ｂｏｎｓａｉを英語の言葉としてのせている。

あちらで普及しだしたのは、一九七〇年代からであろう。その様子は、『オックスフォード英語辞典』から、見てとれる。オックスフォード大学の出版会は、その短縮版を一九三三年に刊行した。以後、十年おきに改訂版をだしている。そして、ｂｏｎｓａｉは、その一九七三年版から収録されだした。このころに浸透したようだと、そうおしはかれるゆえんである。

ただ、英語圏には、これを〃ボンサイ〃と読まない人もいる。日本人の耳には〃バンサイ〃とひびくような発音でしゃべる人も、少なくない。それで、万歳の〃バンザイ〃と混同してしまうむきも、ひところはよくいた。

ちなみに、万歳の「ｂａｎｚａｉ」は、『オックスフォード英語辞典』短縮版の初版にのっている。一九三三年から、英語にくみこまれていた。英語になった日本語としては、盆栽（bonsai）の先輩格にあたる。そして、一九七〇年代から英語に参入した盆栽は、しばしば万歳とまちがわれたのである。

たとえば、イギリスのヒースロー空港あたりには、こんな光景があっただろうか。現地に駐在する日本のビジネスマンがむらがり、本国へかえるという仲間をおくっている。〇〇君の本社復帰をいわって万歳と、みんなで声をあわせていた。それをながめ、盆栽コールだとかんちがいをしたイギリス人も、いたような気がする。

あるいは、市中で売られだした盆栽を見て、万歳が店先にあると思った人も。じっさい、私はそのように誤解をしていたというアメリカ人と、あったことがある。

ドイツに長くいたという日本人から、盆栽がらみで耳よりな話を聞かされた。くだんの日本人は、旧西ドイツの首都であるボンに、しばらくくらしていたらしい。日本人の多くいる都市で、彼らどうしがつどう祭りもあったという。

ボンでもよおす日本人の祭りだからであろう。ある時、彼らは市中の某広場に、盆栽をならべ、ひろげたらしい。そして、ボンの祭りだからボン祭、盆栽だと道ゆく人びとにうったえかけた。真偽はたしかめていない。私は同胞からも、かつがれている可能性がある。

盆栽のミステリー

『ツイン・ピークス』というテレビドラマを、ごぞんじだろうか。いわゆる刑事物のドラマである。主人公となったFBIの捜査員が知略をはたらかせ、犯人をおいつめる。その名推理が、見どころとなった番組である。

日本でこれが放映されたかどうかは、よく知らない。ただ、そのビデオは売り出されていた。私も、そちらを見た記憶がある。

その何回目かに、盆栽がらみのわすれられない場面があった。ここにも、それを書きとめたい。

ある日、捜査当局の某職員が、盆栽をおくられた。うけとった男は、これをスタッフがよくあつまる部屋においている。

だが、くだんの贈り物は、ただの盆栽じゃあない。なかには、盗聴器がしかけられていた。犯人たちは、この盆栽をつうじて、当局の捜査状況を把握しようとする。捜査のすすみ具合を知りぬいたうえで、自分たちの対処をはかろうとしたのである。

そして、盆栽はスタッフがしばしば会議をひらく部屋にかざられた。捜査をする側としては、最悪の展開であったと言うしかない。

じっさい、その後、捜査の様子は犯人側につつぬけとなった。当局も、捜査の一歩先をゆく犯人たちの対応から、そのことを認識する。情報がもれている。どこかで盗聴されているにちがいない、と。だが、その仕掛けがほどこされたところは、なかなかわからなかった。

会議の部屋にあった盆栽があやしい。そう見きわめたのは、主役の捜査員である。そこに犯人がかくした盗聴器を見つけた彼は、こうさけぶ。「ボンサイ、バンザイ」と。アジトでイヤホンを耳につけていた犯人は、これで耳をつんざかれた。同時に、盗聴のからくりがばれたことも、思い知る。

最後に発見はされた。だが、なかなか気づかれないまま、ドラマはすすんでいく。この筋立ては、アメリカの生活に盆栽がとけこんでいたことを物語る。なじまれていなければ、すぐに異質な盆栽がうたがわれるのだから。また、盆栽と万歳が英語で混同されやすくなっていた様子も、読みとれる。

ざんねんながら、それが何年何月のドラマだったのかを、私はおぼえていない。盆栽のアメリカ定着をしめす、いい資料だと思うが、かんじんの年代は不明である。ごぞんじの方がいらっしゃれば、ぜひご一報を。

第二章　ニッポンからサツマまで

ゴキブリの街

ブラジルのリオデジャネイロに、キョウト（KIOTO）という会社がある。少なくとも、私がリオをおとずれた二〇〇四年には存在した。害虫駆除につとめる企業である。

リオの市民は、たとえば家のゴキブリに手をやいた時、しばしばキョウトに連絡をする。するとキョウトから害虫退治のスタッフがやってくる。「奥さん、ゴキブリですか、キョウトにおまかせ下さい」。彼らは、そんな挨拶もそこそこに、やっかいな虫をとりのぞいてくれることとなる。

市中でも、キョウトのスタッフをのせている白いライトバンに、よくでくわす。車体のあちこちにシロアリやキクイムシ、そしてゴキブリなどの図像が、えがかれている。それら害虫群のまんなかに「KIOTO」というロゴがしるされた車を、しばしば見かける。

ブラジルには、コペンハーゲンという会社がある。チョコレートで有名な会社である。ダイヤモンドなどをあつかうアムステルダムも、よく知られている。コペンハーゲンがお菓子で、アムステルダムは宝石。なのに、どうして京都はゴキブリなどの相手をさせられるのか。京都の近郊で生まれ育った私は、その社名に、いやおうなく違和感をいだかされた。

二〇〇四年の滞在中には、おもいきって同社をたずねている。どうして、キョウトという名前をえらんだのかと、問うために。

この年に、キョウトは創業の二十五年目をむかえていた。聞けば、その設立前に、創業者はサンパウロで日本人から助言をもらっていたらしい。駆除剤の製品化などにかかわるヒントを、しめされたのだという。その日本人に感謝をする気持ちもこめて、日本的な響きのある京都を社名にした。

以上のように説明をされ、私は自分のなかにできていたわだかまりを、やわらげている。わざわざ当社へ日本から取材にきたのは、あなたがはじめてだ。先方からはそうもつげられ、けっこう鼻を高くした。

しかし、である。私はリオをたちさる直前に、もう一軒害虫駆除の会社を発見した。キョウトほどには、てびろく営業をしていない。それでも、街にポスターぐらいならはっている。そして、その会社は、トヤマを名のっていた。

あとで知ったのだが、サンパウロにもオオサカやナガサキと称する同種の企業はある。こうなると、京都という社名の由来だけでは、話がかたづかない。ブラジル人は、日本の都市に、何かを期待しているのである。

アリ退治はニッポンに

イギリスに、ニッポンという薬がある。ジャパンではない。ニッポンである。ニッポンの名で売られている薬を、彼の国ではしばしば見かけることがある。

と言っても、ふつうの薬局にはおいていない。これをあつかうのはガーデニングの店、園芸店である。薬そのものは液体で、スプレー缶におさめられている。空中で散布をする噴霧剤である。商品化された缶には、「NIPPON」という文字がおどっている。

それじたいはアリの駆除剤にほかならない。イギリス人は、庭のアリでこまった時、そこへニッポンをふきつける。ニッポンの毒で、アリを死においこんでいくのである。

ジャパンが日本を意味することは、もちろんみな知っている。しかし、ニッポンも日本をさすことは、あまりわきまえていない。ただ、サッカーなどの国際試合、日英戦を見た人たちなら、気づいていると思う。

ナショナルチームの対戦になると、日本側の応援団は、よくニッポン・コールをする。「ニッポン、ニッポン」と声をそろえ、スタジアムでさけんできた。あの応援風景になじんでいる人なら、ニッポンの含意も了解していよう。ああ、日本のことなんだな、と。

もっとも、はじめて耳にした時は、彼らだっていぶかしく感じたかもしれない。「ニッポン、ニッポン……」って、いったい何なんだ。どうして、彼らはアリを退治する薬品に、これだけ声援をおくるのだろう、と。

私がイギリスで、最初にニッポンを目撃したのは一九九〇年代のなかごろであった。たまたま、たちよった園芸店の棚におかれてあるものを、目にとめている。

当時は、諸外国の盆栽を見たくて、よくそういう店へ足をはこんでいた。国ごとにことなるかもしれない松の枝ぶりなんかを、チェックするために。そして、イギリスでは、予想もしなかったニッポンにでくわした。その衝撃は大きく、もう店内に盆栽があったかどうかを、おぼえていない。

棚のニッポンには、告知用の小さな掲示板、いわゆるポップもそえられていた。読むと、たいそうなことが書いてある。なんと、このスプレー缶は、王室御用達の商品であるらしい。バッキンガム宮殿あたりでも、ニッポンはまかれるのだろうか。国王の周囲に、ただようことだって、あるのかもしれない。その散布に眉をしかめるチャールズの表情を、今想いうかべたしだいである。

神戸牛ができるまで

　このごろ、日本の牛肉は、国際的な名声を勝ちとっている。なかでも、神戸牛の評判は高い。コウベの名は、世界中にゆきわたっている。なかには、神戸産でもないのにコウベの偽装をする牛肉が、あると聞く。それも、けっこうひろく、海外の市場にはでまわっているらしい。

　いっぱんに、兵庫、但馬地方でとれる牛肉を、但馬牛とよぶ。そのなかで、ある一定の水準にしあがったものだけが、神戸牛の名をゆるされる。兵庫でそだった牛の肉だからと言って、どれもが神戸牛になれるわけではない。それは、美味が保証されている、えらばれた牛肉だけにあたえられる銘柄なのである。

　にもかかわらず、諸外国ではフェイクのコウベが、まかりとおっている。地元の関係者たちは、その対応に頭をなやませているだろう。海外のことでもあり、なかなか制御しきれないというのが、現状ではないか。

　さて、日本人が公然と牛肉をたべだしたのは、十九世紀の後半になってからである。いわゆる開国後、肉食の習慣をもつ西洋人が、おおぜいやってきた。そんな彼らとのつきあいをとおして、日本人も牛肉を賞味するようになる。それ以前に、絶無ではなかろうが、牛肉を食材とみなす人は、あまりいなかった。

神戸でも、事情はかわらない。農家にかわれた牛はいたが、みな農耕牛である。畑作をてつだったり、農作物をはこんだりすることが、もっぱら期待されていた。食肉用に牛をそだてる農家は、なかったはずである。

そんな農耕牛をたべたいと、神戸の居留地にきていた肉好きのイギリス人が、言いだした。その懇願におしきられ、ある農家が一頭の牛をあたえたのだという。名だたる神戸牛の、それがさきがけであったらしい。

話はとぶが、京都の葵祭には、牛車の行列もある。平安の王朝風をしのぶ、ちょっとしただしものになっている。しかし、二十一世紀の今日に、荷車をひきなれている牛はいない。農耕や運搬は、トラクターやトラックの仕事になっている。牛車をひっぱるのも、けっきょくみな食肉用にそだてられた牛である。

祭りの関係者から聞いたが、いちど牛車をひいた牛の肉は、かたくてたべられないという。筋肉がついてしまい、食用にはむかないとのことであった。開国直後の神戸でとれた牛肉も、さぞたべづらかったろう。それを今の神戸牛にしあげたのは、百五十年の歴史である。

京都銀行、本店はバンコク?

京都市に西京区という区がある。大きくなった右京区を二つにわけ、その南側が西京区となった。京都の行政区には、「京」の字をそえたところが、いくつもある。上京区、中京区、下京区、右京区、左京区……。そういった区名に、西京区もならったのだと、とりあえずみなしうる。

しかし、西京区と対になる東側の名称は、東山区である。東京区にはなっていない。おそらく、関東の東京に遠慮したのだろう。あちらには、東京というりっぱな都市がある。首都にもなっている。その東京へ気をつかい、東京区と名のることをひかえたにちがいない。私じしんは、京都市東京区があれば、おもしろかったのになと、思っているけれども。

さて、京都には北区や南区という行政区もある。そして、それらも北京区や南京区にならなかった。区名は、「京」の字をそえずに、きめられている。

おそらく、中国の北京市や南京市に配慮したのだろう。中国の北京市と混同されることをはばかり、北京区をさけ北区と名づけた。南区も、同じ事情で南京区の名をやめたのではなかろうか。

そういえば、今の中国に西京市はない。そして、京都の東西南北各区では、西だけが西京区を名のっている。北区や南区には、「京」がくっつかなかった。それは、先行する中国の北京市や南京市のおかげだと、どうしても思えてくる。

このごろは、日本へやってくる中国人の旅行者が、たいへんふえている。とりわけ、京都をおとずれる者は多い。もし、京都に京都市北京区や南京区があれば、どうなったか。私は、その名が中国人旅行者におもしろがられただろうと、想像する。彼らにとっての、いいみやげ話になったような気もするのだが、どうだろう。

さて、タイのバンコクには、京都銀行がある。といっても、日本の京都市に本店をおく京都銀行が、支店をかまえているわけではない。出張所はおいているけれども。あちらの京都銀行は中国資本、華僑の出資でなりたっている。

ごぞんじだろうか。バンコクという名は欧米むきの名前である。タイの人びとは、この首都をクルンテープとよびならわしてきた。すなわち、天子の都である、と。首都であり、王都でもある。そんな都市の銀行だから、京都銀行と命名された。日本の京都市には、どうやら遠慮をしなかったらしい。

ベルリンでヒロシマは

ドイツのベルリンに、ヒロシマという通りがある。ティーアガルテン通りの南側に、それはのびている。南南西へむかう短い道である。

ここが、ヒロシマと命名されたのは一九九〇年であった。同じ年に、それまでわかれていた東西ドイツが、ひとつになっている。ヒロシマの名は、それを記念してつけられた。冷戦はおわり、平和な時代にこれからはなる。そんな願いもこめて、世界平和都市の名は、この通りにそえられたのである。

なお、通りぞいには、旧日本大使館もたっていた。戦前のナチス時代、一九四二年に完成した建物が、のこっていたのである。

ナチスの政権は、主要都市の新しい建築を、みなナチスの公認様式で統制しようとした。簡素化された新古典様式、いわゆる第三帝国の様式をおしつけている。都市の景観をその定型で、ととのえようとしたのである。個々の建築は、ナチス体制のきめた建築家に、設計をゆだねなければならないとされた。

大使館も、その例外ではない。日本政府の資産だが、建築家は政権からおくりこまれている。彼らの設計で、典型的な第三帝国様式の建物は、竣工したのである。
ベルリンは、大戦末期に連合国から攻撃をうけた。多くの施設が、空襲などをうけ、くずされている。しかし、やや都心からはなれたところにある大使館は、大きな被害をまぬがれた。だから、戦後も第三帝国様式でできたその輪奐（りんかん）は、ながらくたもたれたのである。
じつは、すぐ近くに旧イタリア大使館の建築も、のこっている。やはり、第三帝国の様式でしあげられた形を、とどめていた。あたりは、ナチスによる建築政策の残骸をしめす、遺跡のような場になっている。あるいは、日独伊三国同盟の締結をしめす、政治的な遺跡でもあると言うべきか。

　戦後、日本政府はこの旧大使館を、しばらく放置した。おかげで、建物は手入れをされず、しだいに廃屋じみた様相を呈しだす。近所からは幽霊屋敷のようにみなされ、苦情もよせられたらしい。

　事態が改善されたのは、ようやく一九八八年になってからである。日本政府は旧大使館の再利用に、日独センターとしてだが、ふみきった。建物の旧観はたもたせつつ、リフォームさせている。東西のドイツが統一されたのは、そんな新装開館の直後であった。ヒロシマという日本名が、前の道に採用されたのは、そのせいでもあったろうか。

ウィーンの巌流島

ウィーンは、オーストリアの首都である。音楽の都として知られている。あこがれてでかける日本人は、少なくない。音楽留学の学生も、おおぜいいる。

一九八〇年代のおわりごろに、私もここをおとずれた。そのおりに、街の南西で、日本食の食材店が二軒むきあっている一角を見つけている。そして、そこでは両店舗の店名に、わらわされた。一軒の名前はムサシで、もうひとつの店はコジローを名のっていたのである。

その光景で、いやおうなく私は伝説的な巌流島の決闘を、想いおこした。宮本武蔵と佐々木小次郎が、こんなところまできて対峙(たいじ)しあうのか。ウィーンも意外にゆかいな街なんだなと感じたことを、おぼえている。

二軒の経営者が、どういう人なのかはわからない。日本人がやっているのか、それとも現地の人がやっているのか。そこは、さぐれなかった。そもそも、同じ人がてがけているのか、別人がいとなんでいるのかも、わからない。

いずれにしろ、日本にくわしい人の命名であることは、たしかである。ただ、そのおもしろさも、地元の人びとにはわかってもらいにくかろう。そううけとめた私は、ウィーンの日本語学習者に話しかけている。せっかくの名前だけど、こちらの人には理解しづらいよね、と。

相づちをもとめられた私の話し相手は、しかしこんな応答をしてくれた。たしかに、ピンとくる人は、それほど多くない。でも、吉川英治の『宮本武蔵』は、ドイツ語に翻訳されている。あれを読んだ人なら、おもしろがれるんじゃあないかな、と。なるほど、そんな事情もあったのかと、私も納得することができたしだいである。

ついでにしるすが、この二軒、さきにできたのはムサシであったらしい。ムサシがたったその後に、コジローは出現したのだという。

巌流島では、小次郎のほうがさきにきていた。剣の達人ではあったが、なかなかあらわれない武蔵に、心をみだされている。そんな小次郎の動揺を見すかして、遅刻をした武蔵が勝ったことに、日本ではなっていた。

しかし、ウィーンではコジローのほうが、おくれて登場をしたのだという。「江戸の敵を長崎で討つ」という俚諺（りげん）もある。巌流島の敵は、ウィーンではたしたということか。

これであなたもマハラジャに

日本製の自動車やオートバイは、世界中にでまわっている。諸外国から、それだけ信頼をされているということなのだろう。

ここでは、一九九〇年代前半のインドで見かけた日本車のことを、書きとめる。もっとも、私は自動車に、あまりくわしくない。車種の弁別も、いたって不得手である。運転免許も、今にいたるまでとってこなかった。これから紹介するのも、間接的にしいれた話であることを、ことわっておく。

当時のインドでは、スズキのオートバイをよく見かけた。スズキ製だと教示してくれたのは、べつの日本人だが、けっこう普及していたと思う。そして、その商品名はショーグンになっていた。鈴木将軍が、街を走っていたのである。もっとも、ショーグンの名は、テレビかポスターだったかの宣伝で、知ったのだが。

スズキのアルトも、かなりでまわっていたらしい。そして、こちらの商品名はゼン（禅）になっていたという。おしえてくれたのは、『ナマステ・カレンダー』という日本語のインド情報誌である。

アメリカでの禅ブームが、ゼンという商標を国際化させたことは、あとでくわしく書く。スズキのゼンも、その一例であろう。

しかし、なんといっても、いちばん笑わされたのは、ヤマハのスクーターであった。なんとヤマハは「ラジャ」という名のそれを、走らせていたのである。

ヤマハのラジャは、どこがおもしろいのか。いぶかしく思われた読者も、多かろう。私も、そう聞かされただけでは、反応しきれなかったと思う。にんまりさせられたのは、そのポスターを見かけたからである。

〝ヤマハのラジャ〟という表記を、このポスターは、つづけざまにあしらった。二つの単語をくっつけ、一語にしていたのである。「ヤマハラジャ」と。

マハラジャは、インドの統治者を意味している。日本語におきかえれば王様、あるいは殿様か。日本でも、インド料理店の名前にしばしばつかわれる。ディスコの名を想いだすという中高年も、おられよう。

くだんのポスターは、このスクーターであなたもマハラジャ気分と、うったえかけていた。「ヤー、マハラジャ」というぐらいの、さそい文句でもあったろうか。これが現地の人びとに、どううけとめられたのかは、ざんねんながらわからない。

人力車の起源をさかのぼる

このごろ、観光地で人力車が、ふえてきた。二十世紀のなかごろに、モータリゼーションの普及で、いちどは姿をけしている。だが、絶滅はせず、ふたたびよみがえった。電脳化の時代に、筆をつかった書の味わいがみなおされるようなものか。

さて、バングラデシュにラジ・クマール・ダスという美術作家がいる。一九九四年に、たいそうにぎやかな装飾がほどこされた人力車を、作品として発表した。日本のデコレーション・トラック、いわゆるデコトラをほうふつとさせる人力車である。今は福岡アジア美術館に、おさめられている。

同館はこれを『リキシャ』という作品名で、登録した。もとは人力車だから、日本側がそう名づけたのだと思われようか。しかし、かならずしもそういうわけではない。バングラデシュにおける原題そのものが、『リキシャ』になっている。より正確に言えば、『Rickshaw（リクショウ）』という英語で、あらわされていた。

人力車そのものは、東南アジアでも、まま目にする。インドでも、観光エリアへいけばよくでくわす。そして、こういったところでも、人力車はリクショウとよばれている。バングラデシュの作品も、アジアの南東へひろがったこの用語をとりいれたのである。今、『Rickshaw』という英語の作品名を紹介した。この言葉は、けっこうはやくから、英語になっていたらしい。一九三〇年代には、辞書もこれをおさめだしている。

とはいえ、そのつづりは一定していない。「ricksha（リクシャ）」と書かれるケースもある。十九世紀の英文では、「jinriksha（ジンリクシャ）」と、しばしば表記されていた。「gin-ricksha」と書きとめたものもある。

人力車そのものは、日本で発明された。一八六九年に和泉要助という人が考えつき、翌年にその営業をはじめている。以後、中国やインドなどへひろまった。異論もあるらしいが、人力車のことを解説する文章には、たいていそう書いてある。

いずれにしろ、メイド・イン・ジャパンであることはたしかだろう。英語がジンリクシャから、リクシャやリクショウにかわっていく。その経緯も、日本起源説をうらづけそうな気がする。

カナダのビクトリアをはしる人力車は、カブキとよばれていた。これも、日本起源を間接的に物語っていると思うが、どうだろう。

ジョー・ヘンダーソンのあの曲は

今は、もう観光地ぐらいでしか、人力車を見かけない。しかし、二十世紀のなかばごろまでは、現役の交通手段になっていた。たとえば、芸妓ののった光景を、一九五〇年代の情景がうつされた写真に、よく見る。

日本が一九五二年まで、いわゆる連合国に占領されていたことは、ひろく知られていよう。その占領軍兵士も、しばしば人力車をのりまわした。車夫を数人やとって、カーレースならぬ人力車競走に興じあう。そんな動画を、私は占領期にとられたアメリカの記録映像で、見かけたことがある。

ジョー・ヘンダーソンというジャズの演奏家を、ごぞんじだろうか。本場のアメリカで活躍したテナーサックスの名手である。若いころには軍隊でも、もちろん米軍だが、はたらいた。

そのヘンダーソンに、『ジンリキシャ』という作品がある。車夫が客をのせてはこぶ乗り物を、日本で見かけた。そんな土産話を駐留経験のある先輩から聞かされて、曲想をえたのだろうか。

楽曲とその演奏は『ページ・ワン』という彼のアルバムに、おさめられている。一九六三年に録音され、ブルーノートから発売された。曲を聴いていても、どこがどう人力車らしいのかは、はっきりわからない。ドラムのきざむリズムが、なんとなくそれらしくひびくというにとどまる。

このアルバムに、トランペット奏者のケニー・ドーハムが解説を書いている。いわゆるライナーノートだが、ジンリキシャの説明も、そこにはある。これがいいかげんで、ドーハムによれば、なんと人力車は「中国の荷車（チャイニーズ・カート）」であるらしい。ジンリキシャは、うたがいようもなく日本語からきているにもかかわらず。

前に、世界へひろがったリクショウの起源が、日本の人力車であることを強調した。それは、こういうドーハム流の誤解に、違和感をいだいてきたせいでもある。

それにしても、どうしてヘンダーソンはドーハムの誤りをたださなかったのだろう。当人自身に、乗車体験がなかったせいで、日本と中国の区別はあいまいになったのか。

ヘンダーソンは、ドーハムのバンドに参加して、頭角をあらわした。初リーダー作の『ページ・ワン』も、ドーハムの後押しで世にでている。しかも、名門のブルーノート・レーベルで。恩人のドーハムに、まちがっているとは言えなかったのかもしれない。

電気でうごく人力車？

日本の自動車メーカーマツダは、ローマ字の表記を「MAZDA」にしている。この綴りは、ゾロアスター教の最高神であるアフラ・マズダにあやかり、きめられた。「Ahura Mazda」と、英語ではしるされる神名が、手本になったという。

ゾロアスターは、紀元前のそうとう古い時代にイランで活動した宗教家である。その信仰はアラビアやインド、そして中国、換言すれば日本と西洋の間に、ひろがった。自動車のマツダは、そこに日本と西洋の橋渡しめいた何かを、感じとったのかもしれない。

インドの西海岸あたりには、今もその教えをとどめる人たちがいる。国産自動車の最大手タタの創業者も、ゾロアスター教の信者であるらしい。日本では、いっぱんに古代中央アジアの歴史的な宗教として、名前を教わる。しかし、インドでは、少数派ながら、まだその信仰が生きていることを、強調しておこう。

このタタが、二十世紀のおわりごろに、四輪駆動の大型車を、新しく売りだした。自社製品の力強さを、うったえかけたかったためだろう。タタはこの新車をスモウと命名した。スモウ・レスラーのように強いということか。日本の大相撲は、インドでもそのころから人気をよんでいたことが、読みとれる。

同じころに、インド政府は主要都市の自動車道から人力車、リクショウをしめだした。自動車時代の本格的な到来により、人力車がじゃまになりはじめたためである。前時代的な乗り物とみなされた人力車は、観光地とその周辺へおいだされた。私はこの事態を、スモウ対リクショウ、寄り切りでスモウの勝ちと見たものである。

さて、数年前に家電メーカーのパナソニックが電気自動車の新しい計画を発表した。インドで、電動三輪タクシー、つまりリクショウの運行支援にのりだすのだという。

じゅうらい、インドの三輪タクシーは、その多くが人力車として運転されてきた。天然ガスでうごくものも、けっこうある。電動も、まったくないわけではない。しかし、これまでの電動車は、鉛の蓄電池で走っており、電力の残量がわかりにくかった。

パナソニックは、これをリチウムイオン電池にかえるという。それができれば、電力残量も読みとりやすくなるらしい。うまくいけば、インドのリクショウは、ふたたび勢いをとりもどす可能性がある。私も、〝小兵力士〟には声援をおくりたいと思っている。

武士は食後に爪楊枝

ベルギーのブリュッセルは、小便小僧の本場である。日本にある小僧像も、彼の地のそれにあやかって、こしらえられた。いろいろなところで見かけるが、みなあちらのコピーである。

さて、ブリュッセルには「王の家」（フランス語でメゾン・デュ・ロワ）という博物館がある。そこには、世界各地からとどいた小便小僧を陳列するコーナーが、もうけられている。諸外国の民族衣装をまとった小僧が、そこではたのしめる。と同時に、やはり本家はベルギーなんだと、いやおうなく認識させられる。

私がここをおとずれたのは、もう四十年近く前になる。そして、そのころ、日本からおくられた小僧は、鎧（よろい）を身につけていた。武者人形、あるいは五月人形のようないでたちになっていたのである。

サムライのイメージは、古くから海外にも浸透していた。今でも、外国遠征のスポーツチームは、「サムライ・ジャパン」と、よく言われる。小便小僧を侍風によそおわせたのも、似たような判断からだろう。

ただ、小僧の着用した鎧は、サイズがあっていなかった。どう見ても、大きすぎる。日本人旅行者のなかには、なんとかならないかと、苦言を呈した者がいたかもしれない。今は身の丈にあった鎧があてがわれている可能性もある。まあ、あれ以来、一度もでかけていないので、現状は知らないが。

いずれにしろ、サムライの名はヨーロッパでも、ひろく知られている。そのせいか、サムライと命名されたあちらの商品も、まま見かける。たとえば、ギリシャでは、その名でナイフ・セットが売られていた。日本刀のように切れ味がいい。そんな印象を、かもしだそうという寸法か。

ドイツでは、サムライというキャンディーも見かけたことがある。これなど、ネーミングの理由がわからない。もともとの意味をおきざりにして、言葉だけが乱反射をしているということか。

いちばん笑わされたのは、イタリアのアリタリア航空である。同社の飛行機は、食後に爪楊枝をくばっていた。ひところは、その包み紙にサムライとプリントされていたのである。「武士は食わねど高楊枝」なのに、満腹のあとでサムライ印の爪楊枝……。それはないよと、思ったものである。

今はもうない。日本の誰かが、アリタリアに忠告したのだろうか。

ミカンはサツマ

あれは二十世紀の終わりごろであったと思う。私はロンドンのスーパーマーケットで、ミカンを見つけている。日本人にもなじみのある、いわゆる温州(うんしゅう)ミカンにでくわした。異国の地で懐かしさも感じ、手にとってみる。見れば、品種名はサツマ、つまり薩摩になっていた。「SATSUMA」として、売られていたのである。芋でもないのに。

鹿児島でそだてられたミカンが、サツマの名で輸出されているのだろうか。念のため説明書きを読んだら、ちがっていた。なんと、そこには「メイド・イン・ウルグアイ」としるされていたのである。

ウルグアイは、ブラジルの南にある小さな国である。ひょっとしたら、鹿児島出身の移民が、彼の地で温州ミカンを栽培しているのかもしれない。ありえないことでもないと、スーパーの店内では考えをめぐらせた。

気になったから、書店へはいって辞書を手にとり、ページをくっている。妙な言いかただが、英語の国語辞書でサツマという項目をあたってみた。そこで、私は意外な事実に気づかされている。

たいていの辞書は、サツマという言葉にミカンという語釈をあたえていた。英語圏では、サツマがミカンになっていることを、知らされたのである。

くわしい辞書は、日本にある鹿児島県の旧名だという説明もそえている。しかし、それは第二番目の、補足めいた解説になっていた。第一番目は、なんといってもミカン。そして、多くの辞書は、このミカンという語釈しかのせていなかった。

あとで、日本へかえってからしらべ、わかったことをおぎなっておく。

日本のミカンは、十九世紀の開国以後、多くの来日外国人によろこばれた。たとえば、アメリカの外交官であるバルケンバーグとその夫人。彼らは鹿児島の薩摩ミカンを、なかでも気にいり、アメリカへもちかえった。それらがフロリダにつたわり、普及したのだという。

バルケンバーグ夫妻以外の人物を伝搬のにない手とする記録もある。その詳細に、ここではふみこまない。いずれにせよ、十九世紀末にはアメリカの南部諸州で、ミカンの栽培がひろがった。二十世紀のはじめごろから、そんな栽培地のいくつかが、地名をサツマにかえている。アラバマやフロリダなどに、サツマを名のる土地が出現した。サツマ＝ミカンの由来は、そこにある。

余談だが、カナダにエドモントンという都市がある。そこで、ミカドやショーグンという店を見つけた。どちらも、日本料理の店である。エドモントンにかぎらず、帝と将軍を看板にかかげた和食の店は、多かろう。なかには、隣りあっているケースだって、あるかもしれない。

　そういう場所で、サツマをもちながら記念写真をとれば、海外で幕末史の想い出ができる。歴史好きの人びとには、すすめたい。隣接する帝と将軍をさがすのは、骨が折れるかもしれないが。

第三章　音楽七変化

今もいきるゾロアスター

クイーンというバンドをふりかえる映画が、たいそう評判になった。そのためだろう。『ボヘミアン・ラプソディ』などのヒット曲を聴く機会も、ふえている。街で耳にする度合いも、高くなったように感じる。

リードボーカルのフレディ・マーキュリーは、一九九一年になくなった。だが、それ以後に生まれた若い世代も、懐古的に聴きだしているらしい。クイーンの楽曲は、時代をこえた古典になりつつあるということか。

イギリス生まれのバンドであったが、その人気は日本でも、すぐ高まった。デビューは七三年だが、早くもその二年後に日本公演を果たしている。その成功にも、気をよくしたのだろう。七七年には、『手をとりあって』という、日本語の歌詞を含む曲も発表した。

セールスの良い日本へ、愛想をふりまいたのだと言えなくもない。だが、ボーカルのフレディがしめす日本への関心は、営業的な思惑をこえていた。日本の骨董品にひきつけられ、なかでも火鉢を山のように買っていたらしい。蒔絵のあしらわれたグランドピアノを購入し、話題になったこともある。

ひいき筋には周知の事実だが、フレディはタンザニアのザンジバル島で生をうけた。家族はいわゆるパールシーである。つまり、ゾロアスター教徒で、みなその信仰をもちつづけていたという。八世紀にイスラムへの改宗をこばみ、ペルシャからはなれた人びとの子孫であると聞く。

本名はファルーク・バルサラ。八歳以後はインドのムンバイ近郊にあるパブリックスクールで勉強をした。家族とともにイギリスへうつったのは、十七歳の時である。

私はフレディのいだく日本への興味も、ゾロアスターにつなげて考えたく思っている。インドのタタ社が、創業家はやはりゾロアスターだが、スモウという車を発売した。あれと同じで、ゾロアスター教徒の感性はユーラシアの全域へひろがりやすいのだ、と。

話はとぶが、かつて歌手の松田聖子はアメリカでの音楽活動にいどんだことがある。「SEIKO　MATSUDA」として、デビューした。姓のつづりを、ゾロアスターの主神と同じ「MAZDA」にしておればどうなったかと、私はしばしば夢想する。アメリカ側は、もっと彼女に好奇心をよせたかもしれない、と。

まあ、日本企業のアメリカ進出に関連づけられてしまった可能性もある。時計のセイコーと自動車のマツダが融合したかのように。

蒔絵のピアノはインテリア

蒔絵のあしらわれたピアノを、クイーンのフレディ・マーキュリーが買っている。前に、彼の日本びいきを、そんな逸話で紹介した。こういうピアノは今、ほとんど生産されていない。フレディも、風変わりな珍品を購入したと言うべきか。

日本のピアノ産業じたいは、明治時代に成立した。しかし、そのころの日本人に、ピアノを学ぼうとした者は、あまりいない。当時のピアノは、おおむね輸出用であり、しばしば漆でぬられ、蒔絵がほどこされた。西洋人のいだくエキゾチックな期待へあわせるために。

まだまだ、音響面のこまやかさでは、欧米のピアノにかなわない時代であった。日本のメーカーは調度品としての魅力で、音楽的な不備をおぎなおうとしたのである。

蒔絵でよそおわれた工芸品は、江戸時代からヨーロッパの宮廷で愛好されてきた。長崎の出島からオランダ商人が、けっこう彼の地へはこんでいる。そのため、往時は漆器じたいが日本、英語ではジャパンとよばれたりもした。その延長線上に、日本から輸出された初期の蒔絵付きピアノも、位置づけうる。

日本の漆芸や蒔絵の装飾を、とくによろこんだのは、ハプスブルク家であったろう。オーストリアとハンガリー、そして一時期はスペインにも君臨した王家である。十八世紀の女帝、マリア・テレジアはウィーンの宮殿に「日本の間（ヤパン）」をもうけさえした。漆器類（ヤパン）をならべ、王家の繁栄をほこったのである。

名門のハプスブルク家は、ヨーロッパの諸王家と縁戚関係をむすんでいた。そのつながりもあってのことだろう。漆器をめでる趣味は、ヨーロッパ全域へひろがっている。

フランスのブルボン家も、名品を多く所蔵した。とりわけ、マリー・アントワネット・コレクションは、美術史家によく知られている。なかには、たとえば小野小町をえがいた蒔絵のほどこされている硯（すずり）箱もある。

マリー・アントワネットはマリア・テレジアの娘である。ルイ十六世にとつぎ、フランスの王妃になった。そのコレクションには、母のあたえた嫁入り道具もふくまれていただろう。この王妃が、フランス革命で処刑されたことは、よく知られている。じつは、クイーンのヒット曲『キラー・クイーン』も、彼女の最期にふれていた。これを聴くたびに、蒔絵のピアノと小野小町を想いうかべるのは、私だけだろうか。

ブラームスもお好き

伊藤博文のことは、誰もがよく承知していよう。日本で最初の内閣総理大臣である。はじめて政党を組織した政治家としても、みとめられてきた。

いっぽう、その名は女性に手のはやい、いわゆる猟色家としてもとおっている。手あたりしだいという好色ぶりには、明治天皇もあきれていたらしい。少しはつつしめと、そうじかにたしなめもしたという。

今なら醜聞にまみれ、政治家としてはやっていけなかったかもしれない。伊藤の生きた明治時代は、その点におおらかであった。おかげで、明治の元勲とほめそやされる立場にも、のぼりつめている。時代にめぐまれた人だと言うしかない。

伊藤が内閣をひきいたのは、一八八五年からである。当時の政府は、欧化政策に力をいれていた。鹿鳴館で、欧米の外交官を相手に、ダンス外交をくりひろげてもいる。

西洋的な男女同伴の社交生活は、日本にも定着しつつある。そう印象づけるためだろう。鹿鳴館や総理官邸のパーティーには、貴顕たちの夫人、令嬢も動員されている。

そして、そんな女性にも、伊藤は手をだそうとした。たとえば、伯爵夫人の戸田極子(きわこ)も、そのひとりにあげられる。鹿鳴館の仮装パーティーでは、花売り娘に身をやつした。夜会服姿の写真も、つたえられている。豊満な魅力のほどは、それらから今でもうかがえる。伊藤がそそられたのも、下品な言い方でもうしわけないけれど、わからなくはない。

また、彼女は維新をひきいた公家、岩倉具視の娘でもあった。成り上がりの伊藤は、その容色のみならず、血統にものぼせていたろうか。豊臣秀吉が、織田信長の血をひく淀の方へ、いれあげたように。

両者の交際にかかわる詳細は、よくわからない。ただ、彼女は夫の戸田伯爵とともに、ウィーンへ派遣されている。夫がオーストリア駐在公使に任命されたためである。いくつかの新聞が、伊藤と彼女の関係をかぎつけた直後の人事であった。ていよく、とばされたのかもしれない。

さて、ウィーンの公使公邸で、しばしば戸田夫妻は招宴をもよおしている。琴ができる夫人は、箏曲『六段』の演奏におよんだりもしたらしい。その場にまねかれた音楽家のブラームスは、これを採譜したという。

彼の楽曲に、『六段』の痕跡をとどめるものがあるのかどうかを、私はよく知らない。クラシック通の教えをこいたいところである。

鉄道の歌は、モンゴルで

「ごんべさんの赤ちゃんが風邪ひいた……」という歌がある。よく知られるように、その元曲はアメリカの『リパブリック讃歌』である。「グローリィ　グローリィ　ハレルーヤ……」とつづく曲の歌詞が、さしかえられた。リズムとメロディーは、元曲をほぼそのまま踏襲している。

ドレミファソラシドを、西洋からならったせいだろう。日本の歌には、こういう例がいくつもある。「ごんべさん」以外に、今思いつく曲を列記する。

『雪山讃歌』を、ごぞんじだろうか。この歌は「雪よ岩よ　我らが宿り……」と、登山家の心をうたいあげていく。元曲は『いとしのクレメンタイン』。「オー　マイ　ダーリン」を三回つづけて、「クレメンタイン」にいたる曲である。

あるいは、「たんたん狸の……」。なんと、この俗謡は讃美歌が下敷きになった。メロディーとリズムは、日曜学校からながれるオルガンで、なじまれていたろうか。そんな楽曲に、どこかの誰かが神をもおそれぬ歌詞をそえたのである。

メイド・イン・ジャパンの曲が海外へつたわり、まったく別の曲になるケースもある。

このごろは、中国のポップスに日本の楽曲を転用した例が、けっこうあるらしい。私じしん、彼の地で、聴きおぼえのある音の進行に、ままでくわす。どこかで耳にしたなと、よく感じる。

そういう曲のさきがけとして、『鉄道唱歌』を紹介しておこう。東京の新橋駅から、鉄道の東海道線がとおされた。その開通をことほぎ、一九〇〇年に発表された曲である。作曲者は、多梅稚(おおのうめわか)であった。

小学生に沿線各地の知識をおしえる。そんな地理教育上の思惑もあって、この曲は唱歌となった。中高年の方なら、たいていおぼえておられよう。新幹線での移動があたりまえになる前までは、学校音楽の定番曲だとされていた。

この『鉄道唱歌』は、モンゴルにも伝播している。まったく同じ音の楽曲が、女性解放の歌として、彼の地ではうたわれてきた。のみならず、韓国にもこれはもちこまれている。そして、こちらでは学生の歌として、愛唱されるようになった。

どうして、鉄道の歌が、海をこえれば女性や学生の歌になるのか。理由はわからない。讃美歌が「たんたん狸の……」にかえられるのと同じである。不可解だと言うしかない。

カンカン娘と進駐軍

敗戦後まもない、一九四九年のことである。新東宝が制作した『銀座カンカン娘』という映画が、たいへんな人気をあつめている。女優の高峰秀子がうたった同じ題の曲も、ヒットした。街のあちこちでその歌声がひびいたことも、当時を知る人ならおぼえておられよう。銀座では、このヒットを記念して、カンカン娘コンクールもひらかれたという。

その八年後、一九五七年に『ウォーキン』というジャズのアルバムが発表された。リーダーは、トランペット奏者のマイルス・デイビス。斯界の帝王ともよばれるミュージシャンである。そして、これにはトロンボーンのJ・J・ジョンソンも参加していた。

よく聴くと、ジョンソンのはなつアドリブが、『銀座カンカン娘』っぽくひびく。「あの娘可愛や……」あたりまでが、引用されているように思えなくもない。あの歌は、ひょっとしたら進駐軍経由で戦後のアメリカへ、とどいていたのではないか。以前から、一部のジャズ好きは、そんな話に興じてきた。

ジョンソンはチャーリー・パーカーとの共演でも、同じフレーズをふいている。私はさるマニアから、そうつげられたこともある。「あの娘――」は、ぐうぜんとびだした即興じゃあない。ジョンソンが好んでくりだす、お気に入りの進行だと、くだんのマニアは言っていた。

ざんねんながら、こちらのほうは、まだ聴けていない。私は未確認である。

ただ、パーカーとジョンソンの共演なら、一九四〇年代の可能性もある。ジョンソンの「あの娘――」は、そのころに、もうできていたのかもしれない。『銀座カンカン娘』にさきがけていたのではないか。引用をしたのは日本側だったということも、検討しなければならなくなっている。

いずれにせよ、一九四五年以後の日本では、アメリカのジャズが開花した。日本のミュージシャンが、その一部を自作にとりいれていたとしても、不思議な話ではない。来日したアメリカの演奏家が、日本の流行歌を一節だけ持ち帰ることも、おこりうる。

私は大御所の山下洋輔氏に、この話をぶつけたことがある。それは初耳だと言いながら、しかし氏は否定的な読み解きを示された。アドリブで「あの娘――」ぐらいの一致は、いつでもおこりうる。妙な日米交流史は、考えなくてもいい、と。マニアの幻想は、なりたたないのだろうか。

リオの『さくら』に魅せられて

一九九三年に、ブラジルで見かけたある光景を語りたい。私は仕事の都合で、リオデジャネイロに一週間ほど滞在した。そのおり、私は街角で、幼い子どもと手をつないで歩く若い母にであっている。

地元の人たちはムラッタとよぶ、褐色のなかなか格好いいお母さんであった。それで見とれてしまい、私の注意力がそちらへむかってしまったせいだろう。路上ですれちがうさい、彼女が子どもへ歌をうたって聴かせていることに、気がついた。歌声じたいはそう大きくもなく、彼女でなければ聴きすごしてしまったかもしれない。

その歌は、なんと日本の『さくら』であった。「さくら、さくら、弥生の……」という歌い出しの曲である。それを若い母は、日本語の歌詞で、発音は怪しげだったが、口ずさんでいた。

ねんのためしるす。サンパウロとちがい、リオにはそれほど日系人がいない。少数の日系人にたずねたけれども、リオで『さくら』がはやったことはないという。いったい、どこで『さくら』をおぼえたのか。知る機会も少ない曲を、どうしてうたいこなせるようになったのだろう。

ひょっとしたら、と私は考えた。あのひとは、ナイトクラブにつとめるホステスさんだったのかもしれない。リオへきていた日本人商社マンあたりと、つきあっていたのではないか。はじめは、お客様と接待係の交際でしかなかった。だが、だんだん気心もわかり、深い関係になっていく。

「日本の歌を聴かせて」「うん、おしえてあげる」「これはなんの歌?」「『さくら』。チェリーブロッサムの歌だよ。日本人ならみんな知っている」――。

おっさんの、今の私はもうおじいさんだが、メルヘンかもしれない。だが、私はそう思ってしまったのである。その商社マンがわすれられず、今でもしばしば『さくら』を声にだしてうたう母なのだ、と。あんがい、あの子どもも……。

一九八〇年代に、日本経済は絶頂期をむかえている。企業人も全世界へ雄飛した。そのころには、リオでも日本型のナイトクラブが、たくさんできている。ホステスさんの求人も、たいそう多かったらしい。

だが、いわゆるバブルの崩壊後、それらは軒なみ閉店へおいこまれている。以前は景気のよかった日本の企業人も、リオの街を後にした。さきほどの彼女にたいする私の空想は、そんな歴史にねざしている。

スキヤカの可能性

『上を向いて歩こう』は、戦後の歌謡史を代表するヒット曲である。日本で、よく売れたというだけにとどまらない。一九六三年には、アメリカの『ビルボード』誌で、ヒットチャートに登場した。その六月十五日には、一位となっている。

以後三週間にわたり、この曲は首位の座をたもちつづけた。同年のミリオンセラーにもなっている。全米レコード協会は、これにゴールドディスクの賞をあたえもした。

英語でうたいなおされたカバー曲が、この栄冠にかがやいたわけではない。日本語でふきこまれた坂本九の歌が、アメリカを魅了した。日本で録音された歌唱と演奏が、そのまま彼の地にひろがったのである。

日本のポピュラー音楽で、これだけの成功をおさめた曲は、ほかにない。『上を向いて歩こう』は、その意味で空前絶後の作品であったと、みとめうる。

ただ、アメリカでこれを売りだしたレコード会社は、楽曲の標題をかえていた。日本語の『上を向いて歩こう』では、意味がわからないと判断したせいだろう。これを「SUKIYAKI」、スキヤキという名前で、売りだした。日本からきたという由来を、日本食の名前でうったえている。

ちょうど、アメリカで、日本人駐在員の姿がふえだしたころである。また、彼らは、しばしばスキヤキ・パーティーをひらいていた。得意先のアメリカ人を、そういう席へまねいてもいる。スキヤキが、しだいに認知されだしている時期ではあった。『スキヤキ』という曲名も、そんな時代相のたまものだったのかもしれない。

当初、この曲はラジオの事前告知などで、「ＳＵＫＩＹＡＫＡ」、スキヤカとよばれていた。レコード会社も、その名で発表しようとしていたのである。サカモトの曲だから、スキヤカのほうが響きもあう。Ａの音が続き、景気も良いから、と。スキヤキの認知度が、まだ発展途上にあった様子も、この逸話からは読みとれよう。

最初、日本側の関係者はスキヤキの名に、とまどった。だが、スキヤカでいきたいという先方の意向を知り、全力で抵抗する。おかげで、なんとかスキヤキの線を死守することができたのだと、聞いている。

タイのバンコクでも、スキヤキを見かけたことがある。あちらの人たちは、「スキ」とよんでいた。しかし、料理じたいはシャブシャブである。国際的な普及にさいしては、こういう誤解もさけられないということか。

キョウトの『東京音頭』

世界中で、もっとも有名な日本の都市は、まちがいなく東京であろう。じっさい、海外ではトーキョーを名のる商店に、よくでくわす。

つづいて名の知れた街は、広島や長崎であろうか。第二次世界大戦で、この二都市に原爆がおとされた歴史は、どの国でも教育されてきた。しかし、さすがに店の名としては、つかいづらいようである。

大阪や京都も、そこそこには名前がとおっている。そして、オオサカやキョウトと名づけられた店舗も、まま見かける。パリのオペラ座あたりで、ラーメンのオオサカに気づいた日本人旅行者は多かろう。

さて、かつてボストンに、キョウトというレストランがあった。鉄板焼き、焼き肉の店である。そして、この店では、時おりおもしろい余興がくりひろげられた。

アメリカの外食店には、誕生日の来客を歓呼でむかえるところが、けっこうある。従業員が客の席にむらがり、おめでとうと声をかける。「ハッピー・バースデー」を合唱する。その他、誕生日用の演出をこころがけているレストランは、少なくない。

鉄板焼きのキョウトも、そういった店のひとつである。ただ、誕生日の客をもてなす工夫は、いっぷうかわっている。

この店でも、当日が誕生日だという客のまわりには、スタッフがあつまった。そして、みんなで『東京音頭』をうたい、またおどったのである。ヤクルトスワローズの応援曲としても知られる、あの歌を。ヤクルトファンの日本人旅行者は、意外な歓待をうけ、異国の地で感動したろうか。

スワローズというチームじたいに、私はさしたる親近感をいだかない。ひいきをしつづけてきたのは阪神タイガースである。それでも、同店の『東京音頭』には、おどろかされた。なにしろ、キョウトで「花の都の東京」がなりひびくのである。日本ではありえないシュールな光景だと、うけとめた。

店の従業員に日本人や日系の人びとは、あまり見かけない。たぶん、多くは韓国系か北朝鮮系の人たちであったろう。いったい、誰があんな音楽と舞踊（？）を、彼らにおしえたのか。いまだに、わからない。

数年前にも、仕事でボストンを訪問した。だが、以前店のあった場所に、キョウトは見あたらない。地元の人からは、もう閉店したとつげられた。まことに、ざんねんである。

狸の讃美歌

まねき猫は、今世界中にひろがっている。ラッキー・キャットとして、イスラム圏などはともかく、国際的な人気を勝ちとった。

普及しはじめたのは、二十世紀のおわりごろ。経済のグローバル化が語られだした時期である。その波にのって、日本発のまねき猫は国際化したのだろうか。

しかし、狸の置物は、ほとんど見かけない。どちらも同じ招福人形である。猫と狸が、日本では幸運をよびよせるマスコットとして、ともにしたしまれてきた。なのに、諸外国では猫の人気が狸のそれを、上まわる。狸は国境を、ほとんどこえていない。

猫を普及させたグローバリズムは、狸に作動しなかった。だが、私はサンパウロで、股間に何もぶらさがっていない狸を、けっこう見つけている。あれさえなければ、狸も海をわたれるのかと、考えさせられた。狸を日本にとじこめているのは、股間の造形だったのかもしれない。

ならば、なぜ日本人は狸の金……、いや陰嚢（いんのう）を肥大化させたのだろう。信楽焼の定型でおなじみの股間模様は、どうして成立しえたのか。

日本では、金箔を狸の皮でひきのばす技術が、古くから知られていた。鍛冶屋も、しばしば狸の皮を鞴（ふいご）の袋につかってきたという。

炉へ風をおくるたびに大きくふくらむ狸の皮が、金の薄延作業でも主役になる。この技術史的な背景が、膨張する金……大陰嚢の形象をうかびあがらせた。そういう技術史的な背景を聞かされることは、よくある。まあ、陰嚢の膨張する病気も、そこにかかわっているらしいのだが（中村禎里『狸とその世界』一九九〇年）。

股間の袋がふくらむ狸の話は、江戸時代の後期にひろがった。二十世紀のはじめには、招福人形の造形としても定着する。今でも、店先や店内に狸の人形がおかれている居酒屋は、よく見かける。成立史ははっきりたどれぬが、民族的にしたしまれてきたことは、うたがえない。

たんたん狸の金……という戯（ざ）れ歌がある。中年以上の方なら、たいていうたえよう。歌詞は地方ごとに、少しずつちがっている。しかし、リズムとメロディーに地方差はない。日本中の人が、同じ曲にのせて口ずさめる。

学校教育で、おそわったことはない。流行歌として、ヒットチャートをにぎわせたりもしてこなかった。にもかかわらず、国民的な規模で知られている。これこそが国民歌謡だと、言えないこともない。

元歌は讃美歌の第六八七番、『まもなくかなたの』である。明治期には、マーチとしてもしたしまれた。ブラスバンドの練習では「タンタンタタタ……」と、リズムがきざまれたろう。その拍子取りが、「たんたん狸」を派生させたろうと、音楽学者の手代木俊一は言う（「雑考《たんたんたぬきの》と賛美歌」『キリスト教礼拝音楽学会　ニュースレター』二〇一五年春号）。

歌詞が、金……にまでおよびだした経緯は、不明である。日本人が民族をあげてつくった、神をもおそれぬ替え歌だと言うしかない。

花から花へと蝶が舞う

生物には、一般的な名前だけでなく、学名とよばれる名前がついている。動植物のことを、われわれはラテン語のあらたまった名称で、さししめすことがある。たとえば、人類の通称はヒトだが、ホモ・サピエンスと言うこともあるように。

ここでは、いくつか蝶の学名を、とりあげたい。ごぞんじだろうか。日本でクジャクチョウという名をもつ蝶が、生物学の世界で、どう名ざされているかを。

なんとこの蝶は、その亜種がイナキス・イオ・ゲイシャと、命名されている。「芸者」という言葉が、はさみこまれているのである。

いや、クジャクチョウにかぎったことではない。ウスバシロチョウとミドリヒョウモンの学名も、かつてはゲイシャをふくんでいた。前者は、その一種がパルナシウス・グラシアリス・ゲイシャ。後者のある種もアルジーニス・パフィア・ゲイシャと、名づけられていたのである。まあ、今はつかわれておらず、ゲイシャの名をのこすのはクジャクチョウだけになっているが。

クジャクチョウがゲイシャとよばれだしたのは、一九〇八年。あとのふたつは、ずっとおくれることになる。

ゲイシャの第一号は、一九〇八年に出現した。この年代には、やはり興味をそそられる。その四年前、〇四年にはイタリアのミラノで、『マダム・バタフライ』の公演がおこなわれた。日本で『蝶々夫人』として知られた歌劇の、その初演は命名の四年前なのである。

このオペラは、日本の芸者をヒロインにしたてていた。蝶々（バタフライ）という愛称のある芸者が、主役になっている。そして、『マダム・バタフライ』は、興行的にもヒットした。プッチーニの音楽も、その成功を後押ししただろう。

クジャクチョウにゲイシャの名をそえたのは、昆虫学者のスティチェル。ひょっとしたら、彼もオペラを見ていたかもしれない。あでやかな芸者の名が蝶々になるオペラの筋立ては、わきまえていた可能性がある。はなやかな蝶をゲイシャとよびだしたのも、そのためか。

勝手な私の想像である。裏はとれていない。だが、いかにもありそうな話だと、考えている。

臆測ついでに、あとひとつ。作家の川口松太郎に『夜の蝶』（一九五七年）と題された小説がある。東京の銀座であでやかさをきそうホステスたちに、光をあてた作品である。当時はたいそうおもしろがられ、映画化もされた。

じつは、これ以後なのである。ナイトクラブではたらくお姐さんたちが、「夜の蝶」と言われるようになったのは。

川口がホステスを蝶とよんだ背景には、プッチーニの『蝶々夫人』があったろう。だとすれば、それは日本からヨーロッパへゆき、日本へかえってきたことになる。オペラを介して、芸者からホステスにとびうつったということか。

花から花へという蝶の世界史を、私は想いえがいているのだが、どうだろう。

第四章　悪役レスラーニッポン

ウルトラマンに花束を

二〇〇四年に、ブラジルのリオデジャネイロで、三カ月近くくらしたことがある。リオデジャネイロ州立大学で、日本文化についての授業をした。そのおりに、私は同大学の学長と、一度だけだが面談をしている。

たがいの自己紹介をおえたあと、くだんの学長は、こうきりだした。自分は、日本が好きである。子どものころは、テレビで『ウルトラマン』を見て、魅了された。それ以来、日本はあこがれの国になっている、と。

そう言えば、『ウルトラマン』は世界各国で放映されてきた。ブラジルでも、流されていたらしい。学長に聞けば、台詞はブラジル人がわかるよう、ポルトガル語へ吹きかえられていたという。ただ、冒頭の歌だけは日本語のままだったから、意味がわからない。それが心残りであったと、私はつげられた。

『ウルトラマン』の歌と言われ、私は反射的に、歌を口ずさむ。手にした、カプセル、ピカリと光り……。おどろくべきことに、これで学長は目に涙を浮かべた。ああ、懐かしいと言いながら。この反応で、私も思わずもらい泣きをしそうになったものである。

面会をおえ帰路につき、あるプロレスラーのことを、思いだしている。メキシコのウルトラマンというレスラーを。

一九八〇年代前後であったと思う。ウルトラマンに似せたマスクの覆面レスラーが、来日した。テレビの『ウルトラマン』は、メキシコでも人気がある。とうとうレスラーになる者まであらわれたと、聞かされた。

日本では、タイガーマスクの好敵手となっていたことを、おぼえている。小柄だが身のこなしは軽い。いかにもメキシコ出身らしいレスラーであった。タイガーマスクとの一戦では、とんだりはねたりの妙技がたのしめたしだいである。

『ウルトラマン』を製作したのは、日本の円谷プロダクションであった。メキシコのレスラーが、同プロから肖像使用の許諾をとりつけていたとは、思いにくい。おそらく、かってにマスクをかぶりだしたのだろう。だが、初来日のおりには、本物の(?)ウルトラマンから花束を、わたされていた。リングの上で。製作者側も、かたくるしい権利問題はふりかざさず、おおらかに対応したのだろう。

当時は、肖像権の処理が甘いなと感じなかったわけでもない。だが、学長の涙を見てからは、いいことをしてあげたなと、うけとるようにしている。

マネージャーの使い途

第二次世界大戦の敗北後、しばらくして日本にはプロレスのブームがおこった。巨漢の、しばしばひきょうな手もつかう外国人レスラーを、力道山がやっつける。その姿を見て、多くの民衆は、胸のつかえがおりたように感じたものである。日本を長らく占領してきた連合国への、怨みがはらせたかのようにうけとめて。

逆に、アメリカでは日系人のレスラーが悪役として、リングへあがっていた。パールハーバー・アタックへの復讐劇を、たのしみたい。そんな民衆の前で、いわば星条旗にささげられる生け贄として。

多くの日系悪役レスラーはだから、これ見よがしに日本人らしくふるまった。法被(はっぴ)をまとい、下駄をはいたりして。あるいは、リングで塩をまいて四股(しこ)をふみ、大相撲風をよそおいながら。そして、最終的には正義のアメリカ人レスラーから、鉄槌を下されたのである。

なかに、トーア・ヤマト（東亜大和？）というレスラーがいたことを、ごぞんじだろうか。アメリカの中西部で活躍した人である。リングには、女性マネージャーの花子嬢をともなって登場した。そして、彼女を顎であしらうような振る舞いにおよんだのである。たとえば、花子嬢をひざまずかせ、自分がはいている下駄をはずさせる。はおった着物風のガウンを、彼女にてつだわせて脱衣する。相手とたたかう前に、ヤマトは以上のようなパフォーマンスを、くりひろげた。

どうだ、日本の男は女を、こんなふうにしたがわせることができるんだぞ。日本へいけば、女は男の言いなりになるのだ。レディー・ファーストをしいられるアメリカの男子諸君、うらやましいだろう。ヤマトは、花子嬢とくみながら、そんなふうにアメリカの観客をあおったのである。

年配のプロレス好きは、ザ・シークというレスラーを、よく知っていよう。日本へも何度となくきたことがある。「アラビアの怪人」を自称する悪役である。じつは、このシークも、アメリカのリングでは、自分の女性マネージャーを虐待した。侍女に扮させた彼女を、こづいたりけったりして。

シークとヤマトの、どちらが男尊女卑の演技でさきがけていたのかは、わからない。しかし、一九五〇年代には、ふたりとも同じ手で客席の憎しみを買っていた。彼らの所作は、アラブや日本への偏見を増幅する役目も、はたしていただろう。プロレスはあなどれない。

民族感情のはじける場

第二次大戦後のアメリカでは、日系人レスラーが、しばしば悪役を演じた。対日戦争の記憶をのこす観衆は、まだ旧敵国に憎悪の気持ちをいだいている。そんな客席の感情を、いかにも日本的な振る舞いであおることが、彼らには期待されていた。ジャップをたおせ、と観客の怨念をたぎらせることが。

しかし、この時期、アメリカでにくまれたのは、日本だけにかぎらない。アメリカは、対独戦争でも少なからぬ犠牲者をだしていた。そのため、ドイツも旧敵国として、しばらくきらわれつづけることとなる。じっさい、悪役レスラーのなかには、ドイツ人らしいいでたちで、客席を挑発する者もいた。これ見よがしに、ナチス風の敬礼を披露するレスラーさえ、いなかったわけではない。

しかし、アメリカでくらすドイツ系移民は、まずそういうことをしなかった。この点は、あくどく日本風をショーアップさせた日系人がいたことと対照的である。

アメリカのリングでナチっぽく演じたレスラーのなかには、カナダ人がけっこういた。とりわけ、ケベック州のフランス系が、多かったと思う。

たとえば、ハンス・シュミット。プロレス好きには、シュミット式のバックブリーカーで知られている。彼もナチスのギミックに活路を見いだしたレスラーだが、出身はケベックである。ドイツ系の人ではない。

あとひとり、キラー・カール・クラップのことをあげておこう。やはりケベックから世にでたレスラーだが、アメリカではナチス風を得意とした。もとは、オランダ系だったという情報もある。いずれにしろ、ドイツとは敵対した側の人である。

キラー・カール・クラップは、日本へきた時もナチス風の演技をやめていない。日本とドイツは第二次大戦の同盟国だったわけだが、日本のリングでも悪役をつとめている。日本の観客には、かつての同盟国をにくむ連合国的な感性が、できていたのだろうか。もし、そうだとすれば、連合国による日本の占領政策は功をそうしたことになる。日本人の民族観を左右する、大きな教育効果を、およぼしたのだと言ってよい。

戦後のドイツでも、日本人のレスラーはリングにあがっている。しかし、彼らが悪役になったことはない。ドイツのマット界は、旧同盟国の日本人を善玉として処遇しつづけた。日本とドイツの、こういう圧倒的な違いには、いろいろと考えこまされる。

善悪の境をのりこえて

清美川梅之(きよみがわうめゆき)というプロレスラーが、かつていた。若いころに、日本のマットをはなれている。一九六〇年代までの主戦場は、外国であった。メキシコから南米をまわり、のちにはヨーロッパを転戦する。とりわけ、ドイツで仕事をすることが多かったようである。

一九七〇年には、日本へかえっている。国際プロレスという団体に、ドイツから欧州のレスラーをよんでいたのが清美川である。日本のレスラーをドイツへおくりこむ、その窓口係にもなっている。

前にもふれたが、ドイツのマット界は日本人を善玉としてあつかった。第二次世界大戦の旧同盟国である日本を、悪役にしようとはしなかったのである。

しかし、清美川じしんは悪玉演技を得意とした。だから、ドイツのリングでは、日本人であることをかくしている。モンゴル人といういつわりの触れ込みで、悪役プレーを見せていた。悪どい振る舞いを、観客が納得しやすくするために。

十三世紀にヨーロッパまでおしよせたモンゴルの記憶は、十九世紀から増幅されだした。黄禍論にもむすびつくヘイトの感情を、彼の地でかきたてている。悪役として自分をきわだたせたい清美川も、この俗情に便乗したのだと言うしかない。モンゴル人には気の毒な話だが。

とはいえ、日本人に善玉をわりあてたのは、ドイツだけである。他の旧連合国へいけば、日本からきたレスラーは、悪役をおしつけられた。ドイツでは、正義のヒーローになりきっている。そんなレスラーが、たとえばイギリスのマットでは、観客の罵声をあびていた。

イギリスで善玉演技をしたい日本人は、どうすればいいのか。手はある。ここでも、日本人であることを隠蔽すればいい。そして、中国人のふりをすれば、悪役をまぬがれることができた。イギリス領でもあった香港からくる中国人になりすまして。それなら、ヒーローにもなりえたのである。

たとえば、佐山聡がその例にあげられる。初代のタイガーマスクだが、イギリスでも正義の人として活躍した。ただし、サミー・リーという、いかにも香港系らしいリングネームをあてがわれて。

そう言えば、前田日明（あきら）も、イギリスではクイック・キック・リーを名のっていた。一九八〇年代になっても、日本人のままでは善玉になることができなかったのである。

ニューヨークのヨコヅナは

大相撲には、外国人の力士がおおぜいいる。最上位の横綱も、長らく海外からきた人たちに、しめられてきた。なかなか、日本人の横綱は出現しづらくなっている。まあ、稀勢の里は、ひとときかろうじてその地位にふみとどまっていたが。

最初に横綱の座をいとめた外国人は、曙である。同じハワイ出身の小錦も、また綱がうかがえるポジションに、しばらくとどまった。だが、けっきょく昇進はかなわず、大関どまりでおわっている。

やや甘目に判定をすれば、小錦の場合も横綱にあげる手はあったろう。それだけのいい戦績を、小錦はのこしていたと思う。もちろん、あと一歩力はおよばなかったと考えるむきも、いるにちがいない。評価は、今でも二つにわかれるような気がする。

当時、欧米のメディアは、このことを民族問題とからませ、しばしば批判的に論評した。いわく、日本の大相撲は、異民族の力士が横綱になることをいやがっている。最高位だけは日本人で独占したいと、彼らは考えやすい。偏狭な日本人至上主義が、根っ子にある。小錦が昇進できないのは、そのためだ、と。とりわけ、アメリカでは、以上のようにつたえられやすかった。一九九〇年代初頭のことである。

そんなメディア状況にもささえられてのことだろう。アメリカでは、プロレスのリングに、ヨコヅナというレスラーが登場した。そして、WWF（現WWE）という興行団体の人気者、ただし悪役に、なりおおせている。

ヨコヅナを演じるよう団体から要請をされたのは、G・コキーナであった。関取風に見えなくもない体形のせいで、この役目はあたえられたのだろう。

ヨコヅナは、レスラーパンツをはき、その上から相撲風のまわしをしめていた。マットへあがる時は、着流しの衣装をまとっている。頭髪も髷（まげ）のようにゆっていた。そんなヨコヅナに、WWFはチャンピオンベルトを、しばしばまかせている。小錦が横綱へあがれないことを、からかうかのように。

一九九四年の来日に際しては、大阪城ホールで、天龍源一郎と対戦した。天龍は大相撲出身のレスラーである。力士時代は、幕内の常連にもなっていた。とうぜん、綱取りもめざしていただろう。そんな天龍は、横綱をちゃかすようなヨコヅナの振る舞いをどう感じたか。プロレスの興行は、そんな興味もあおりつつ、もよおされていく。

ちあきなおみのハノーバー

このごろは、プロ野球の試合も、ずいぶんショーアップされるようになっている。選手が打席へたつたびに、彼のテーマ曲を場内でながす演出も、すっかり定着した。あるいは、リリーフ投手がマウンドへむかうごとに、楽曲をひびかせることも。

私のひいき球団は、阪神である。なかでも、代打の「神様」である八木選手には、いのるような想いをよせていた。八木が出てくるのはたいてい、のるかそるかの絶好機であったから。そして、その登場をあおった『スカイ・ハイ』にも、夢をたくしてきたものである。こう書けば、読売ファンは、二岡も『スカイ・ハイ』だったと言うかもしれないが。

選手を、それぞれのテーマ音楽でバックアップする。こういう演出を世にひろめだしたのは、プロレスである。ミル・マスカラスが、リングに上がる。それを、日本テレビがテレビ中継のさいに、『スカイ・ハイ』であとおしした。一九七七年のことで、これがそのさきがけとなっている。

先行例がないわけではない。だが、多くのプロレスラーを同じ演出へむかわせたのは、マスカラスの成功からである。

『スカイ・ハイ』は、ジグソーがうたったディスコナンバーのひとつであった。発表当時、日本ではそれほどヒットしなかったと思う。だが、マスカラスのテーマ曲になってからは、スポーツ演出の定番になりおおせた。今は、野球の世界でも、高校野球のブラスバンドでさえ、ひんぱんにひびかせている。

とはいえ、一九七〇年代のなかごろまでのプロレスは、こういう演出に、はしっていない。少なくとも、日本のマット界は、音楽に食指をうごかしてこなかった。レスラーたちの回想に耳をかたむけると、ドイツのプロレスが先駆的であったらしい。たとえば、ハノーバーあたりの興行では、全選手がテーマ曲をつかっていたという。

しかし、日本からでむいたレスラーは当時、その習慣になじんでいなかった。だから、みな自分の愛聴曲を、ドイツのリングへもちこんでいたという。場内をわきたたせる曲ではなく、ただ自分が好きだという曲を。

たとえば、マイティ井上は、ちあきなおみがうたった『四つのお願い』で登場した。田中忠治は、北島三郎の『兄弟仁義』でリングイン。ドイツの試合会場では、ちあきや北島の歌声が、せつせつとひびいたらしい。一九七〇年代のハノーバーでくらす日本人には、会場でしみじみ聴きいった者もいたろうか。

「マツダ」はやはり大名跡

戦後のアメリカでは、多くの日系人レスラーが、悪役として活躍した。日本から彼の地へでむいたレスラーも、似たような役所（やくどころ）をあたえられている。リングコスチュームには、ひなびた和風のいでたちをもとめられた。

下駄ばきに、法被（はっぴ）をはおって、リングへむかう。下半身のパンツは、膝当てのついた、股引（ももひき）のようにも見えるロングタイツ。これがおきまりの衣装となっていた。いかにも、辺境地から文明の国・アメリカへやってきたという、わかりやすい演出である。

田んぼの吾作をちぢめて、三文字にした熟語がある。活字だと書きづらいが、レスラーたちはそんな言いまわしでこのスタイルをよんでいた。田舎じみた格好をさせられるんだなと、自らをあわれみながら。

しかし、均整のとれた体形の日本人レスラーは、これをまぬがれることもあった。たとえば、アントニオ猪木は、いちどもそんな姿になっていない。また、猪木に先んじ渡米したヒロ・マツダも、こういう格好はしなかった。バランスの良いマツダの体形にも、それはふさわしくないと判断されたのだろう。

さて、マツダの本名は小島泰弘である。はじめは、海外でもコジマの名でたたかった。たとえば、ペルーのマットには、エルネスト・コジマを名のりながら、上がっている。

そのコジマを、マツダと名づけたのは、アメリカの興行師たちである。彼らには彼らなりの、この名をめぐるこだわりがあった。マツダはアメリカのマット界における、ちょっとした名跡にもなっていたのである。

日本からアメリカへわたり、レスラーとしてはたらく。その第一号は、一八八四年にデビューしたトラキチ（ソラキチ）・マツダであった。

戦後の興行師は、もうその名をわすれていたかもしれない。しかし、マティ・マツダのことは、はっきりおぼえていた。一九二〇年代のテキサスを主戦場とし、チャンピオンにもなった日本人である。最初に腰へベルトをまいた日本人は、ほかならぬこの人であった。

小島をはじめて見たあちらの興行師は、思ったろう。この男は身体能力にひいでている。見てくれもいい。膝当てタイツは、やめさせよう。マツダの名をつがせたい、と。

その後、日本へもどった時も、男は小島にもどらなかった。祖国でも、ヒロ・マツダのままとおしている。やはり、その名にはプライドをいだいていたと思うが、どうだろう。まあ、渡米した松田聖子を女子プロレスラーだとうけとめた人は、いなかったと思うが。

偉大なトーゴー

オランダで、「提督東郷（アドミラル・トーゴー）」と銘うたれたビールをのんだことがある。このトーゴーは、日露戦争でその名を世界に知らしめた東郷平八郎に由来する。東郷は日本の連合艦隊をひきい、日本海でロシアのバルチック艦隊をうちまかした。その知謀に敬意をはらい、あるいはあやかって、トーゴーという銘柄はひねりだされている。

最初はフィンランドの会社が、売りだした。「提督ビール」というシリーズのひとつである。世界の名だたる海の将をラベル化させた商品だが、そこに東郷も選ばれた。今は、その権利がオランダにうつっていると聞く。

さて、トルコは長年、ロシアの脅威にさらされてきた。ロシアの艦隊をしりぞけた東郷は、そのためトルコでも、うやまわれることになる。じっさい、日本海海戦直後に生を受けた男児は、しばしばトーゴーと命名された。さらに、この男子名は次世代、いや次々世代ぐらいまで、新生児にあたえられたらしい。

さて、第二次世界大戦で、アメリカの太平洋艦隊をひきいたのはニミッツ提督である。戦時中の国民学校では、生徒が竹やりで、ニミッツらに見たてたわら人形をつきさした。

「さあこい、ニミッツ、マッカーサー」と、罵声をあびせながら。じつは、そのニミッツも海軍軍人としての東郷を、うやまっていた。

一九三四年には、東郷の国葬に参列している。回顧録の日本語版へよせた序文の執筆で生じた原稿料は、東郷神社の復旧に用だてた。

アメリカのフレデリックスバーグには、ニミッツ記念館がある。ここでは、東郷の肖像画や遺品などを、けっこう見かける。東郷が舞鶴で海軍のつとめにあたっていたころの書斎まで、復元されている。ニミッツの東郷にたいする敬意は、アメリカ側でも了解されていたようである。

ところで、アメリカには、グレート東郷というプロレスラーもいた。このリングネームも、もちろん英雄・東郷に由来する。悪役として、戦後のマット界を生き抜いた日系人だとされるレスラーである。

グレート東郷は、下駄をはいてリングにあがっていた。試合がはじまる前には、大相撲よろしく、マットの上で塩をまいてもいる。日本人像をあくどく、見せつけたのである。第二次大戦が終わって間もない、まだ反日感情を強くいだいていたころの観客へ。

はいていた下駄は、試合の相手をうつ凶器としても使っていた。大相撲めかした塩を、目つぶしの道具にすることもある。グレート東郷は、そういう卑劣な攻撃に終始するヒールとして、自分を演出した。のみならず、そういったずるい技を、こうよんでいたのである。「パール・ハーバー・アタック（真珠湾攻撃）」と。

そのきたない振る舞いは、観客の憎悪を、計算どおりにあおりたてていたという。一時期は、各地のプロモーターから、ひっぱりだこにもなっていたらしい。

一九六六年になくなったニミッツは、グレート東郷のことを知っていただろう。そして、彼は「トーゴー・イズ・グレイト」と、思っていた。自分のうやまう東郷を愚弄するこのレスラーに、どんな印象をいだいていたろうか。

第五章　宗教は世界をめぐる

ブラジルの新宗教

ブラジルのリオデジャネイロで、三カ月近くくらしたことがある。二〇〇四年の九月から十一月まで、私はリオの州立大学へかよい教壇にたった。

滞在中は、当地のテレビをよく見ている。日本ではありえないような番組もあり、言葉はわからぬが、けっこうたのしめた。日本にいる時より、よほど多くの時間を、私はテレビ視聴についやしている。

なかでも、おどろかされたのはいくつかの宗教番組である。大きな会場、たとえばスタジアムなどをつかって某教団が、儀式をとりおこなう。むらがった群衆、いや信者を相手に、司祭者がパフォーマンスをくりひろげる。そんな光景を、とちゅうではしょることなくながす番組が、少なからずあった。日本の放送局だと二の足をふむにちがいない放映であり、なかなか目がはなせない。

ブラジルは、いわゆる新宗教がさかんな国である。そして、はぶりがいい宗派の祭典は、しばしばテレビの番組になる。教団がテレビの放映枠を買いとったりすることも、あるのだろうか。

日本からきている宗教も、そういう放送で目にしたことがある。私が彼の地にいたころは、生長の家が執行する儀式の様子を、とりわけよく見かけた。フルハウスとなった大会場で、式典がえんえんとつづいていく光景を。

司祭者の多くは、私の見たかぎり、たいてい日系人であったと思う。日本からおくりこまれた日本人は、少なかろう。儀典の言葉は、みなポルトガル語であったから。ただ、そこにつどう信者たちは、非日系と思われる人びとが、大半をしめていた。ヨーロッパ系をはじめとするブラジル人たちが、ひしめいていたのである。

生長の家は、まちがいなく日系という枠をこえ、ブラジル社会に浸透していった。その現実に感銘をうけた私は、多くのブラジル人にこの話題をぶつけている。生長の家って、すごいですね、と。

だが、日本からきた宗教で人気をあつめているのは、それだけじゃあないという。世界救世教やＰＬも、評判はよく聞く。創価学会も成功していると、彼らからはおしえられた。

既成の日本仏教、たとえば浄土真宗などに心をよせるのは、たいてい日系人である。だが、新しい宗教は、しばしばその範囲をこえて普及した。いったい、それらのどこに、どんな魅力があったのだろうか。

カトリックの新時代

生長の家が、ブラジルでは多くの信者を集めている。PLや創価学会も、人気は高い。前にそう書いたが、疑問をいだいた読者もおられただろうか。どうして、日本の新宗教ばかりが、そんなふうに成功をおさめたの、と。

あらかじめ、ことわっておくべきだったろう。ブラジルで頭角をあらわしたのは、日本の新宗教にかぎらない。この国には、世界中のさまざまな教団があつまり、勢力をのばしている。生長の家なども、そういった諸宗教の一角をなしているというにとどまる。

じっさい、ブラジルでいちばん勢いがあるのはマックンバであろう。ブードゥーめいたところもあるアフリカ渡来の宗教だが、人気はここがいちばん高い。あと、フランスからきたカルデシズモも評判はよく聞いた。

こう書けば、また新しい疑問もわいてくるだろうか。ブラジルって、キリスト教の国じゃあないの。カトリックが人口の大半をしめているって、たいていのガイドブックには書いてあるよ。そのカトリック国へ、どうして世界中の新宗教がむらがったのかな、と。

そう、たいていのブラジル人は、カトリックの信者である。そして、カトリックの教会でおこなわれている儀式は、伝統的なミサの形をまもっている。だが、現代的なイベントとくらべれば、その印象は古くさい。新しいおごそかさに興味をもつ人びとは、だから他宗の祭典をのぞきたがる。

そして、カトリックはそのことをとがめない。教会をないがしろにしないかぎり、たいていゆるしている。むしろ、たとえば、生長の家も式典はおもしろいらしいよと、すすめさえするという。

多くの場合、だから、新宗教へむかう人びとは、信仰の本籍をカトリックにのこしている。そのうえで、他宗の儀礼を見物にいったりするらしい。なかには、複数の教団を、イベント体験のつもりでわたり歩く者もいるという。テレビの宗教番組がつたえるコンサートめいた儀典の様子も、そう聞けばうなずける。

いずれにせよ、ブラジルのカトリックは新宗教とあらそわない。共存共栄をはかっている。キリスト教は一神教であり、他の宗教をはねつけやすい。日本では、よくそう言われてきた。しかし、今は話がちがっていることを、私はブラジルで実感したしだいである。

『菊と刀』が見おとしたもの

日本人は、世間体を重んじる。恥をかきたくないという思いが、日本人の行動をささえている。かつて、アメリカの人類学者、ルース・ベネディクトは、そう言い切った。一九四六年に書かれた、邦訳は一九四八年だが、『菊と刀』での指摘である。

くらべて、欧米人は世間への衒いにわずらわされる度合いが小さい。西洋では、社会的な外見より、内面的な罪の意識が重んじられてきた。世間体はどうであれ、とにかく罪深いことはしたくない、と。

ベネディクトは、そんな西洋人の背景にキリスト教があると見る。唯一の神と、心のなかで対話をする。そんな習慣が、西洋に「罪の文化」をもたらした。いっぽう、そういう一神教的な信仰のない日本には「恥の文化」がいきづいている。以上のように、結論づけたのである。

日本語に訳された『菊と刀』は、よく読まれた。日本人は恥をきらう民族だという物言いも、ひろく流布されるにいたっている。

私はこの日本人論に、なじめない。そして、ブラジルへでむいたおりに、有力な反論の材料を見つけている。前にもふれたが、ブラジルはカトリックの国である。そこでくらす人びとは、この罪や恥という問題をどううけとめているのか。それを、直接彼らにたずねてみた。

あなたたちの振る舞いは、罪と恥のどちらに大きく左右されますか。罪深いことをしてしまったという想いと、世間に知られて恥ずかしいという想い。そのどちらが、みなさんの心に、より強くささりますか、と。

たいていの人は、恥のほうが大きいと言う。リオデジャネイロ州立大の学生などは、異口同音にそう言っていた。もう、カトリックの信仰がうすらいだからではない。日曜日は毎週教会へいくという人びともふくめ、罪より恥のほうにおびえると言う。

いわく、自分も、罪の意識にさいなまれることはある。そして、それは、日曜日に教会へいけばはれる。十字架のイエスを見るだけで、気分は楽になる。しかし、世間は日曜日になっても、自分のみっともないところを忘れてくれない。五年でも十年でも、覚えている。世間のほうが、ずっとおそろしい。

信仰心があれば、良心の呵責（かしゃく）はうすめられる。教会という施設には、そんなカウンセリング効果もあるらしい。少なくとも、カトリックの聖堂には。そこをベネディクトは見おとしたと考えるが、どうだろう。

ジャズ・ブッディズム

日本にキリスト教の信者は、あまりいない。総人口の一%前後にとどまる。そのためだろう。われわれは、彼らをじっぱひとからげにクリスチャンとして、あつかいやすい。サレジオ会の人だとか、イエズス会の人だという人物紹介に接することは、まれである。聖公会ですか、それともメソジストとたずねる機会も、少なかろう。

ちなみに、サレジオ会とイエズス会はカトリックの会派である。聖公会とメソジストはプロテスタントに属している。だが、そのカトリックやプロテスタントという区分さえ、日本社会は見おとしがちである。こまかい話はよくわからないが、とにかくキリスト教だなということで、かたづけやすい。

信仰心のある人は、こういうまとめ方をいやがるだろうか。日本では、キリスト教が理解されていないと、不快に感じるむきもいそうな気がする。

アメリカは日本の仏教が、けっこう進出している国である。真言宗、浄土宗、浄土真宗、日蓮宗、曹洞宗などが、拠点をもうけている。それら伝統的な宗派にかぎらず、新しい教団も布教をつづけてきた。たとえば、創価学会も。

しかし、日系以外のアメリカ人には、そういった諸宗の違いがわからない。よほどの日本通はともかく、たいていブッディズムのひとことで、うけとめてしまう。あるいは、ブッディストとして。浄土真宗の本願寺派、大谷派、高田派を識別できる人は、まずいない。その点は、日本側のキリスト教理解と同じである。仏教諸派の差に無頓着なアメリカ側を、われわれはなじれない。キリスト教の信者も、日本側の無理解ぶりを、おおらかにうけとめてほしいものである。

さて、アメリカのミュージシャンには創価学会の信者が、けっこういると聞く。私はジャズのことしかわからない。しかし、このジャンルでも大御所の入信が知られている。たとえば、ハービー・ハンコックやウエイン・ショーターらが。

ショーターは自伝で、池田大作のことを偉大な仏教の指導者として紹介する。日本人とちがい、創価学会という特定会派のリーダーだとは、みなさない。あちらでは、宗派の差が後景へしりぞき、仏教という全体像が大きくうかびあがる。そのことを、私はショーターの言及で考えさせられたしだいである。

占領花嫁にともなわれ

アメリカに仏教をもちこんだのは、日本からの移民たちであった。それが非日系のアメリカ人にもひろがりだしたのは、一九六〇年代からであろう。

アメリカの高度に発達した資本主義を、うけいれない。ベトナム戦争に、背を向ける。一九六〇年代には、そうした志をいだく人びとがふえだした。伝統的なアメリカのあり方に対抗する。いわゆるカウンター・カルチャーが、彼らのあいだではさぐられた。

日本の仏教は、そんな期待にこたえうる宗教として浮上する。東洋の神秘という新鮮な印象もまといつつ、アメリカ社会にたちあらわれた。平和や反戦への願いも仮託されて。とりわけ、カリフォルニア州あたりでは、ちょっとした仏教ブームがわきおこる。

なかでも禅と創価学会には、大きな関心がよせられた。非日系の人びとも、つぎつぎと入信するようになっていく。ここでは、創価学会が人気をあつめるにいたった、その背景を考えたい。禅については、あとで検討することにしよう。

周知のように、創価学会は敗戦後の日本でひろがった新しい宗教である。当時は力強い折伏（しゃくぶく）の言葉が、戦後に生きのびた人びとを、少なからずひきつけた。

時期的には、アメリカの軍人がおおぜい駐留していたころである。そして、しばしば彼らは日本人女性とむすばれた。一九五〇年代には、そんな日本人妻をともないアメリカへかえるケースが、ふえている。

見ず知らずのアメリカへわたるという不安も、てつだってのことだろう。妻たちの多くが、この時勢いのあった創価学会にすがりつく。そして、信仰もともないつつ、海をわたったのである。そのことは『大白蓮華』（一一五号）という創価学会の機関誌に、しるされている（「アメリカの学会員」）。

非日系のアメリカ人に、創価学会の教えが浸透する。そのさきがけとなったのは、今のべた占領花嫁の夫たちである。彼らが、心の底から信仰にめざめていたかどうかは、わからない。アメリカ社会で孤独をかこつ日本人妻に、入信をせがまれた。彼女らをなだめるために、夫もつきあったという例は、多かったと聞く。

いずれにせよ、この回路をつうじて、創価学会は一般のアメリカ人へも、つたわった。そのすぐあとで、アメリカには仏教ブームの時期がくる。創価学会は、そんな時勢にもめぐまれ普及したのだと考える。

神秘の宗教

アメリカで禅がブームをまきおこしたのは、一九五〇、六〇年代の現象である。とりわけ、六〇年代には、禅センターがつぎつぎとひらかれた。禅の修行にはげむアメリカ人を、アメリカでうけいれる。そんな拠点が、西海岸を中心に、もうけられている。

第二次世界大戦の前から、禅に興味をしめすアメリカ人はいた。日本の禅寺まできて、参禅におよぶ者がいなかったわけではない。だが、彼らはごく少数の、例外的な先駆者であるにとどまった。

しかし、大戦後には、禅を体験したがる人びとの数が、飛躍的な勢いでふえていく。修行の場がアメリカ国内でもとめられるまでに、増加した。その背景には、二十世紀の中葉以後を席巻したある趨勢(すうせい)が、ひそんでいる。

アメリカは、大戦の戦勝国である。しかも、他の戦勝国とちがい、戦後すぐに、経済的な繁栄を謳歌(おうか)した。圧倒的な国力をほこる、文字どおりの超大国になりおおせたのである。

この時勢は、しかし同時に、物質文明のゆきすぎをうれう声もふくらませた。いわゆる自然回帰や、ゆたかな精神生活への願望も肥大化させている。ビート・ジェネレーションと呼ばれた反体制的な表現者も、この時頭角をあらわした。ヒッピーと名づけられた人びとが出現したのも、この勢いに追風をうけてのことである。

日本の仏教が、以上のような世相にともなわれて浮上したことは、前にのべた。創価学会が、その時流とともにあったことも、指摘ずみである。

しかし、この時代相があとおしをしたのは、なんと言っても禅宗であったろう。座禅と瞑想に象徴される禅の姿は、いむべきアメリカ文明の対極にある。そう彼の地ではみなされ、反体制派の輿望(よぼう)をになったのである。

日本の禅僧たちも、指導をこわれ、しばしばアメリカへおもむいた。そして、面くらったことだろう。髭(ひげ)や髪をのばしほうだいにした、身なりをかまわぬ男にかこまれて。フリーセックスを言いつのる家出娘にも、とまどったと思う。しかし、それも当時のアメリカにおける禅受容の、一典型なのである。

一九五〇、六〇年代の日本では、全学連の学生が反体制運動の一翼をになっていた。アメリカには、この「ZENGAKUREN」を禅宗の学生運動だと誤解した人もいる。すなわち、禅学連だ、と（多田稔『仏教東漸(とうぜん)』一九九〇年）。禅はどのような期待をあつめていたのかが、この逸話でよくわかる。

おしゃれでヒップな禅文化

鈴木大拙(だいせつ)という思想家が、かつていた。『禅と日本文化』(一九四〇年)や『日本的霊性』(一九四四年)などで、知られている。仏教、とりわけ禅から日本をかえりみようとした著述家でもあった。

なお、『禅と日本文化』は、もともと英語で書かれている(一九三八年)。禅が日本文化におよぼした影響を、外国人に解説する。そんなもくろみのもとにしるされた一冊である。大拙は英語に強い、国際派の書き手でもあった。海外での講演も、少なくない。

一九五一年からは、ニューヨークのコロンビア大学で、禅のセミナーをはじめている。その終了後も、一九五〇年代のなかばごろまでは、客員としての講義がつづけられた。ちょうど、アメリカで禅のブームに火がつきだしたころである。火付役のひとりでもあった大拙は、いちやく彼の地で時の人となる。

ビート・ジェネレーションの文筆家たちはしばしば禅を語り、大拙をもちあげた。『ザ・ニューヨーカー』をはじめとする雑誌も、紹介につとめている。ファッション誌の『ヴォーグ』がとりあげたこともあるらしい。テレビにも顔をだしていたと聞く。

禅の精神世界を、日本からアメリカにきて解説する。大拙は、そういう使命をおびた導師のような存在として、イメージされだした。おおげさに言えば、ちょっとしたアイコンになったのである。

のみならず、禅そのものもかっこいい文化項目のひとつに、まつりあげられた。それこそ、クール・ジャパンのさきがけめいた何かとして、もてはやされるようになる。

前に、禅のブームはヒッピーめいた人たちがささえたと、そう書いた。だがそれは『ヴォーグ』のような雑誌がおもしろがる、アイテムにもなっている。まあ、名詞のヒッピー（hippie）は、流行りのという形容詞、ヒップ（hip）に由来するのだが。

反体制派の文化運動からきりはなされた禅は、洗練ぶりをしめす言葉にもなっていく。「ZEN〇〇」という商標で、自社製品の優越性をうったえる企業も、あらわれた。くりかえすけれども、禅ブームの根底には、資本主義へ背を向けた批判精神がある。しかし、資本主義の装飾記号としても、それは利用された。

資生堂が欧米むきの商品として、「ZEN」という香水を売りだしている。一九六〇年代からだと思うが、ヒッピーの禅ではなく、ヒップな禅の一例であろう。

インドのビーフカレー

街でインド料理の専門店を見かけることがある。二十世紀のおわりごろには、それがおなじみの光景となっていた。だが、じっさいのインド人がほめる店は、そう多くない。本場、インドの味をおとどけします。そんな看板をかかげた料理店に、知り合いのインド人がおこっていた。店名をふせるが、そこでは、ビーフカレーをだしていたらしい。ヒンドゥー教のインド人はビーフ、牛の肉なんか食べないよ。あれのどこが、本場の味なんだと、くだんのインド人は私をせめたてた。

たしかに、おっしゃるとおり。ヒンドゥーの信者たちにとって、牛は神の使いである。ビーフカレーはありえない。私があやまってすむ問題ではないけれども、日本人としてもうしわけなくうけとめた。

だが、その後、インドのゴアへでかけ、おどろくべき事実を発見する。なんと、彼の地ではビーフカレーが売られていた。インドにも、牛を食べる人はいる。これは、いったいどういうことなのか。

ゴアは、キリスト教徒の多い街である。日本へくる前のフランシスコ・ザビエルも、ここで布教につとめていた。

その手立てとして、ザビエルはとんでもない妙案を思いつく。まず、ないしょで、ヒンドゥーの信者に牛の肉を食べさせる。そして、たいらげた人びとにつげる。おまえが、今食べたのは牛だ、と。聞かされ、地獄におちると覚悟したヒンドゥー教徒に、ザビエルはつげるのだ。いっしょに、イエス・キリストを信仰しよう。そうすれば、おまえもすくわれる、と。

なんというあくどい手口だろう。私はその歴史を知り、不快になった。だが、そんなザビエルらの努力をへて、今のゴアがある。キリスト教徒が多くすみ、ビーフカレーもある、インドだと例外的な街に、ゴアはなった。

ゴアで活動していたザビエルは、つぎに日本へわたっている。こんどは、日本でキリスト教をひろめようとした。のみならず、ゴアでくりひろげた牛肉作戦を、日本でも展開する。殺生をきらう仏教徒にも、この手をつかえば改宗がせまれると考えたのだろう。

だが、当時の日本人は、すすめられ、くったくなく牛肉を食べだした。ちょっとした、肉食のブームもおこっている。ヒンドゥーの人びとほどには、それをおそれなかった。なんとも世俗的な人びとである。この民族性も、「本場」のビーフカレーを現代日本にもたらしたのかもしれない。

西陣織のイスラム服

二十一世紀のはじめごろに、私はエジプトへでかけている。カイロ大学でもよおされた研究集会に、参加した。この集会には、同大学の学生たちも、けっこう顔をだしている。女子学生もおおぜいいたと、記憶する。

今、「顔をだしている」と、私は書いた。しかし、たいていの女性はスカーフなどで顔の輪郭をおおっている。ヒジャブやチャドルとよばれる衣装で、顔があらわになってしまうことをさけていた。全身黒ずくめの、いわゆるニカブに身をつつむ女性もいる。外からうかがえるのは、手先と目だけ。ほぼ全面的に顔を隠す聴講者も、ひとり出席していた。

カイロは大都市である。女性の外見的な魅力を抑えるイスラムの力も、さほど強くはない。ミス・エジプトのコンテストも、私がおとずれたときは、開催されていた。ニカブのいでたちは、カイロ大学の校内だと、やや異様に見える。

聞けばクウェートからの留学生であるという。そして、カイロには彼女の親戚も、いくらかいるらしい。顔をだして街を歩く姿は、彼らから見とがめられる可能性がある。おまえの娘がふしだらな格好をしていた。そう本国の両親に通報されるのは、こまる。ニカブはカイロでも脱ぎづらいとのことだった。

さて、フランスでは特定の宗教にもとづく衣服が、公共的な場での着用をゆるされない。政教分離の強い姿勢が、この国ではとられるようになった。ムスリム的な装いも、とうぜんその標的となる。ヒジャブのように、目と鼻、そして口を表にだせるそれさえ、一時期は禁じられた。

ブルカやニカブのように顔をおおいつくす服装は、よりきびしい処罰の対象になる。外国人旅行者の場合であっても、罰金が科せられると聞く。ファッションの本場を自負する国だが、この点ではかたくなにふるまっているようである。なお、こういうフランスの姿勢は、ドイツあたりにもつたわっているという。

現代日本に、宗教色の強い衣服をとがめるきまりはない。さすがに、黒一色となるニカブはまわりの目をそばだてると思う。違和感もいだかれよう。それでも、禁じられてはいない。

京都の西陣には、ヒジャブを西陣織でつくっているところがある。けっこう、イスラム圏でも流通しているらしい。そういえば、ユニクロもムスリムむきの商品をだしている。フランスあたりとくらべれば、おおらかな国であるということか。

ヒジャブとクノイチ

日本の忍者が、世界のあちこちでおもしろがられている。本場の伊賀などをおとずれる外国人も、新型コロナウイルスの蔓延(まんえん)以前は、おおぜいいた。忍者の装束で街をゆく外国人の家族づれも、見かけたことがある。感染症をのりこえることができれば、またあの光景ももどってくるのだろうか。

忍者人気の国際化が、どのようにひろがっていったのかを、私はよく知らない。だが、二十一世紀のはじめには、ブラジルのリオデジャネイロで、その普及ぶりを確認した。コパカバーナの海岸で、忍者の格好をした多くの子どもたちに、であっている。陽光がさんさんとふりそそぐビーチである。白い砂浜を黒装束でかけぬけていく子どもたちの姿は、いやおうなくめだつ。背中にプリントされた「忍」の文字が、たいそうこっけいに見えた。ぜんぜん忍んでいないよと、思わされたものである。現地で開講されている忍術教室の、その練習風景ではあったのだが。

フィフィというタレントを、ごぞんじだろうか。エジプト生まれの女性だが、ながらく日本で仕事をしてきた。『日本人に知ってほしいイスラムのこと』(二〇一八年)という著作もある。

この本によれば、イランでもニンジャのブームがおきているらしい。女性を対象にした忍術教室も、ひらかれているという。忍者を主人公にした『NARUTO』というアニメが、この流行をあとおしした。フィフィはそう書いている。

女性の忍者と聞けば、妄想をたくましくする日本のおじさんたちもいるだろうか。いわゆる鼻下長紳士は、映画や小説のクノイチを想いうかべ、にんまりするかもしれない。女たちが性的な秘技のかぎりをつくし、男を籠絡（ろうらく）しようとする。そんな女忍者の艶姿（あですがた）も、脳裏をよぎるような気がする。

そのうえで、彼らはいぶかしくも感じよう。イランでは、イスラムのきびしい戒律が社会をおおっている。そういう国で、いったい女性はどんな忍術を身につけるつもりなのか、と。

しかし、考えすぎは禁物である。イランの女性は、むしろ護身用にまなびたがっている。一種の総合武術として。また、忍者は頭の輪郭を、頭巾状のかぶりものでおおっている。ふたたびフィフィによれば、このいでたちもムスリム女性とは相性がいいという。そういえば、忍者の装束はヒジャブのように見えなくもない。

礼にはじまり、礼でおわる

アマチュアの野球では、試合の前後に礼をかわしあう。選手が帽子をとって頭を下げつつ、フェアプレーをちかう。あるいは、たがいの健闘をたたえる。プレーボールとゲームオーバーにさいしてのそんなやりとりが、日本では習慣化されている。

礼ではじまり礼でおわるこの形が、ベースボールの本場、アメリカでは見られない。あのならわしは、日本ではじまった。もとをたどれば、柔道や剣道の所作である。ベースボールは、日本へもちこまれた後にこれをとりいれた。そして、日本的な野球へと変貌をとげたのである。野球道がうんぬんされるような球技にばけたのだと、言ってもよい。

野球でこころみられる戦術のひとつに盗塁がある。伝来当初は、塁を盗むこの作戦が人の道にもとると、一部でなじられた。変化球のことも曲者（くせもの）じみてひきょうだと、みなすむきはいたらしい。武道をまねて礼をとりいれたのは、こういう非難をかわすためでもあったろう。

さて、日本的な野球の手本になった柔道や剣道も、このごろは海外へ進出している。とりわけ、柔道は国際的な普及ぶりがいちじるしい。オリンピックの正式な種目にも、ずいぶん前からなっている。

一九八四年のロサンゼルス大会では、山下泰裕が男子の無差別級で優勝した。最後の決勝でむかえた相手は、エジプトのモハメド・ラシュワンである。彼の母国ではそのいさぎよさが絶賛され、ラシュワンの人気が高まった。と同時に、柔道をはじめるエジプト人も急増したらしい。

首都のカイロには、道場がいくつもできた。愛好家もふえている。そのもりあがりを、私は二十一世紀のはじめごろ、カイロで直接聞かされた。

ただ、同時に意外な反応があることも、おしえられている。試合前後の礼に違和感を抱く人が、けっこういるというのである。

対戦相手に、ふかぶかとおじぎをする。ああいう敬意はほんらいアラーにこそ、ささげるべきである。人にむけるのはよくない。人間どうしをうやまいすぎる儀礼は、人類を増長させてしまう。たがいの礼は、もっと軽くすませたほうがいいとする声も、耳にした。

イスラム社会のこういうこだわりを、あなどってはいけない。日本の野球も、世間からの難癖をさけるために、武道の形をとりいれた。盗塁は泥棒の作戦であるなどと、思わせないように。誤解はおたがいさまである。

第六章　建築がつなぐ世界とニッポン

日系人のアラベスク

ニューヨークのワールドトレードセンター（WTC）を、まだ多くの人はおぼえていよう。二〇〇一年九月十一日に、イスラムのテロリストが、航空機の体当たりで破壊した。あのツインタワービルを、ここではふりかえる。

ビルの設計者は、日系二世のミノル・ヤマサキであった。アメリカへは、親の代にわたっている。極東から西洋へやってきた。そんな家にそだち、東西両洋の橋渡しめいたことも意識したのだろうか。彼は自分の建築に、しばしばアラビア風の意匠をもりこんだ。日本と西洋の中間地帯ではぐくまれたデザインを。

作品の見てくれは、たいへん美しい。ビジュアルをととのえることでは、たいそう力をつくした建築家である。だが、表面的な美装をあなどる人たちも、ざんねんながらアメリカには、けっこういた。ヤマサキ？　あいつには何もない。ただ、きれいによそおっているだけだ、と。

産油国として頭角をあらわしたサウジアラビアの仕事も、いくつかこなしている。同国にできたダーラン空港のビルも、代表作のひとつにあげられる。

このビルはサウジアラビアの紙幣にも、図柄としてとりいれられた。壁をいろどるアラベスク模様に、国王がほれこんだためだと言われている。東西の橋渡しのみならず、こういう評価もヤマサキの仕事を、ささえつづけた。

さて、ＷＴＣである。ヤマサキは、ここにもアラビア風の意匠をあしらっている。低層部のアーチを、この様式でいろどった。イスラムのテロは、アラブの感化もうけたそんなビルを、標的にえらんだのである。あるいは、サウジアラビアで愛された建築家の作品をねらったのだと言ってもよい。

建築家の仕事には、むなしいところがある。意匠に粋をこらしても、まわりからはなかなかわかってもらえない。アラブのテロリストは、よりによってアラビア風も加味した建築を、攻撃した。草葉の陰で、ヤマサキはそのことを慨嘆したろうか。

テロをひきいたモハメド・アタは、カイロ大学で建築をまなんでいた。ビルのアラビア風には、気づいていただろう。そこにイスラムへの冒瀆を感じた可能性があるという人もいる。私は信じない。そのような理由でテロの戦士集団を統率できたとは、とうてい思えないからである。

イスラム風の国技館

東京の国技館は、大相撲の殿堂だが、これまで何度もたてかえられてきた。百十年ほど前の一九〇九年にも、今とはちがう姿で竣工をむかえている。一種の屋内競技場だが、随所にイスラムの形をとりいれて、できあがった。髷をゆい廻しをしめた関取が、ぶつかりあう。その会場がアラビア風にいろどられたのである。

建築の設計をてがけたのは、辰野葛西事務所であった。ふだんから、イスラムのデザインを得意にしていたわけではない。この設計事務所がこういう形をとりいれたのは、当時の国技館だけであったろう。では、なぜアラベスクを、よりにもよって相撲の場で開花させたのか。国技を自負する、その意味では日本的になってもかまわないスタジアムで。

そこには、ヨーロッパ的な建築史の伝統がかかわっている。欧州の建築は、ながらくギリシャやローマの形を、手本としてきた。とりわけ、おりめただしいとされた建築には、これをあてはめている。グレコ・ローマンの形式が、建築における古典だとされてきた。

しかし、時代が下がると、中東あたりのモチーフを採用する建築もふえてくる。トルコ風、アラビア風などもつかわれだす。そして、そういうオリエント様式は、非正統的とみなされた施設で好まれた。ギャンブル場やレジャーハウスなどで。

たとえば、一八九二年には、ポルトガルのリスボンで、アラビア風の闘牛場が完成した。国民的な競技の会場なのに、イスラム建築めかした姿でたちあがっている。一九〇九年の日本に出現した国技館も、その延長上にあるのだと考えたい。

話を鹿鳴館にうつす。一八八三年にできた、明治外交の舞台をとりあげたい。そこでは、日本側の要人たちが、夫人ともども洋装でパーティーをくりひろげた。日本の西洋化を西洋人へ誇示するために設営された社交場である。

じつは、ここにもインド・イスラム風のデザインがおりこまれている。設計をたのまれたイギリス人建築家は、もともとアラベスクを好んでいた。さらに、こうも考えただろう。ダンスもおこなう娯楽施設だから、オリエント色をにじませたほうがいい、と。また、日本と西洋の橋渡しという想いも、この造形にはこめていたろうか。

前にふれたワールドトレードセンター（WTC）をかざるイスラム様式の、その前史として紹介しておきたい。

国会議事堂と動物園

ヨーロッパでは、十九世紀のはじめごろから動物園がつくられだした。いちばん早かったのは、一八二八年にできたロンドンのそれである。これからとりあげるベルリン動物園は、一八四四年に開園した。

初期のそういった施設では、エキゾチックな建築様式が、しばしばつかわれている。ふつう、動物園では動物ごとに、それぞれの小屋をおく。その形を、おさめた動物の原産地がしのべるようにする例も、ままあった。エジプトのゾウが収容された建物を、エジプトめかした外観にしたりして。

とりわけ、ベルリンの動物園にその傾向はいちじるしい。ここではさまざまな異国の動物が、エキゾチックな構えの建物で展示された。ゾウはインド風、カモシカはアラビア風といった体裁で。動物園は、諸民族の建築様式をあつめた万博会場のようになっていく。

ベルリンのこういう傾向は、一八七〇年代以降に拍車がかかりだす。そして、そのころから、同園の建築設計には、エンデ&ベックマン事務所がかかわった。のちには、ベックマン当人が動物園の理事長になっている。エキゾティシズムへの傾斜をおしすすめたのは、この両名であったろう。

さて、東京の霞が関には法務省の庁舎がたっている。ネオ・バロック様式の、古めかしいたたずまいをしめす建築である。竣工したのは一八九五年だが、設計をてがけたのはエンデ&ベックマンであった。首都の官庁街を西洋風に刷新する。そうねがった当時の政府に、この二人がスカウトされたのである。

そんな彼らが、日本風も加味した国会議事堂の設計図を、のこしている。もちろん、本格的な西洋化をめざした雇い主である日本政府は、これを拒絶した。はじめから、ことわられそうなこういう図案を、なぜ彼らはえがいたのか。おそらく、それだけ日本建築がかもしだすエキゾティシズムに、魅了されたのだろう。採用はされなくとも、図面としてえがきたく思ったにちがいない。

一八九九年に、ベルリン動物園は、あくどく誇張された日本風の門、および管理棟を設営した。異国趣味の範囲を、極東にまでのばしている。戦争で焼けたが、門は八〇年代に再建され、今もある。ここを見るたび、エンデらが日本にたてようとした和風の国会議事堂案を想いだす。彼らがこの議事堂へ出入りする日本人を、動物園の動物に見たてたとは、言わないが。

シカゴの鳳凰殿

万国博覧会という催しは、十九世紀のヨーロッパではじまった。日本は一八六七年のパリ万博から、参加している。そして、おもだった博覧会には、日本産品などを出展しつづけた。九三年のシカゴ万博では、本格的な日本館も彼の地にもうけている。

この施設は、鳳凰殿と名づけられた。三つの建物を左右対称に配置して、それぞれを廊下でつなぐ。その様子が、平等院の鳳凰堂をしのばせたためだろう。

しかし、似ているのはそこまでである。シカゴ万博の鳳凰殿で並置された三棟に、様式上の統一性はない。中央棟は江戸期の書院を手本にした建物である。左右に配された南棟と北棟は、それぞれ室町建築と平安建築をまねていた。時代のことなる模造建築を三つならべた、建築史案内の施設にもなっている。

いっぽう、平等院鳳凰堂は平安期の遺構である。その形は、全体が平安時代の様式で、まとめられている。シカゴの鳳凰殿とは、建築のありかたが根本的にちがう。シカゴ万博では、平等院に似せて日本館がたてられた。以上のように論じた本もあるが、それはまちがっていると、このさいのべておく。

さて、十九世紀末のシカゴには、フランク・ロイド・ライトがいた。のちに大建築家として名をはせるライトが、はたらいていたのである。もちろん、万博の会場にも彼はたちよった。鳳凰殿と称された日本館にも、多大な関心をよせたようである。

ライトの初期作品には、鳳凰殿の影響を見てとれる例がある。日本建築を参考にしたとおぼしい設計例も、少なくない。初の海外旅行には、一九〇五年だが、日本をおとずれた。一二年には、浮世絵を論じた本もだしている。

旧帝国ホテル（一九二三年）をてがけたのも、ライトであった。現存する自由学園（一九二一年）の基本計画をまとめたのも、ライトである。そして、そのどちらにもシカゴの鳳凰殿とひびきあうところはある。日本からの感化が、形をかえて帰国したということか。

万博の日本館＝鳳凰殿は、博覧会がおわったあと、シカゴ市へ寄付された。そして、同じ場所に、そのままのこされている。今は、もうない。一九四六年の火災で焼失した。言葉をかえると、日米の戦争中は、日本の象徴として存続していたことになる。太平洋戦争をこえた両国のかすかな懸け橋として、記憶にとどめたい。

南洋の伊勢神宮

かつて、日本人は南洋諸島でも、おおぜいくらしていた。サイパンやパラオ、そしてヤルートといった島々である。第一次世界大戦がおわり、一九二〇年代からは、そのあたりが日本の委任統治領となった。今でも現地へいけば、その痕跡がうかがえる。

そのころにうつりすんだ日本人は、いくつもの日本人街をつくっている。また、そこかしこに神社もいとなんだ。神主が常住する大きなものは、あまりたてていない。たいてい、祠(ほこら)のような小さい社(やしろ)で、まにあわせている。しかし、移住者らが神前で礼拝できるようには、していたのである。

そうしてできた小型の社殿は、多くが神明造(しんめいづくり)をとりいれた。伊勢神宮の神社形式にあやかった格好で、設営されている。伊勢のアマテラスオオミカミを皇祖神として、うやまいたてまつる。そんな国民教育が、二十世紀の大日本帝国憲法下に、ひろがったせいだろう。旧植民地の入植地では、南洋にかぎらず伊勢神宮風の神社が数多くたてられた。

ただ、南洋方面では、現地へ進出した海軍がこういう神社をきらっていたらしい。それらが原住民の集会施設、たとえばマレー半島の「アバイ」に似ていたからだという。現地の集会場を小型化させたような社殿には、神々しい気分がいだけない……。

海軍とも接触のあった建築史家の藤島亥治郎（がいじろう）が、書いている。軍人たちは伊勢めかした神社に、なじめなかった。「集会所であるアバイを想ひ出して崇高の感が起らぬ」と（「純日本建築の南方性」『画論』一九四二年四月号）。

伊勢神宮の神明造は日本固有の建築形式だと、よく言われる。中国から朝鮮経由で、日本にはさまざまな建築の形式がつたわった。だが、大陸に神明造をしのばせる建築の事例は、見いだせない。あれは、日本人が創造し、今日までうけついだ日本独自の形だ、と。

なるほど、中国の黄河文明圏に、ああいう建築はたてられてこなかった。だが、南洋諸島へいけば、神明造をほうふつとさせる建物は、いくつもある。南洋のみならず、インドネシアや、東南アジアの大陸部でも、散見する。私はベトナムの民族博物館で、少数民族のそういう建築例を見たことがある。

どうやら、日本の神明造は南洋、東南アジアとつうじあっていたらしい。戦前の南洋移民たちは、そのひろがりを、いつも神前で実感していたような気がする。

シベリアの竪穴式

竪穴式とよばれる住居がある。いや、かつてあった。地面をほり下げて、床をつくる。その上に屋根がかかったすまいを、われわれはそう名づけている。

日本では、縄文時代からたてられだした。平安時代ぐらいまでは、存続したことがわかっている。今は、もうない。だが、かつての姿をおしはかり復元した例は、いくらかある。考古遺跡の野外公園にいけば、そういう再現住居をよく見かける。あるいは、歴史展示の博物館あたりでも。

多くの復元例は、屋根を草葺きにしているようである。木材で架構をこしらえ、そこへススキやヨシなど丈が高い草をかぶせ、屋根にする。そんな例を、よく見かける。

しかし、往時の竪穴住居が、屋根の外から見える部分を草でおおっていたとは、思えない。じっさいには、土をかぶせた屋根のほうが多かったろう。

考古学の発掘現場では、火事にみまわれた竪穴住居の痕跡も、見つかることがある。そんな住居の屋根にもちいられた草は、たいてい生煮えの状態で見いだされる。すっかり、焼けてしまったという例は、ほとんどない。

草葺きの屋根は、火がつたわれば、いっきに焼けてしまう。しかし、竪穴住居の遺跡は、屋根の草が焼けきらなかったことを、しめしている。おそらく、草をかぶせた屋根が、土でおおわれていたせいだろう。いくらかは、土が火のひろがりを、おしとどめた。そのため、草は生煮えのままのこされたのだろうと、今は考えられている。

だとすれば、かつての竪穴住居はどんな格好をしていたのか。現代人には、なかなかなじみにくいかもしれないが、あえて言う。それは、たいてい巨大な土饅頭のようになっていた。土をなだらかにもりあげた形が、地表へはあらわれていたのである。

草葺きのほうが、うけいれやすくはあろう。じっさい、ついこのあいだまで、農山村の屋根は草屋根になっていた。その原型が縄文の竪穴住居だということになれば、日本の住居史は一本の筋道で見とおせる。考古博物館で入場料をはらう来館者も、そちらのほうが納得しやすかろう。異様にうつる土饅頭よりも。

目をシベリアのアムール川流域にうつしたい。こちらには、今でも竪穴住居をたもつ少数民族がいる。屋根を土でつつんだ家屋は、今日なお残存する。古い日本の家をシベリアでかいま見ると言えば、言いすぎか。

ロシアとは、建築でもはりあって

中国の遼東半島に大連という都市がある。かつて、日本はこの街を租借した。日本からの移民たちが、市政をつかさどった時期もある。また、彼らは多くの都市建築を、彼の地に建設した。そして、少なからぬ建物が、今も現地にのこっている。

この都市を、日本は第二次世界大戦の敗北で手ばなした。今は中国の一都市になっている。日本人がてがけた現地の建築は、みな二十世紀前半、大日本帝国時代の遺構である。歴史的な景観の保存という意向もあってのことだろう。中国の人びとは、今日もなおそれらをつかいつづけている。今の大連市は超高層ビルが林立する街へと、変貌をとげたのに。

さて、大連にのこる戦前の建築は、けっこうりっぱにできている。同時代の日本国内にできたものより、たいてい宏壮に見える。役所の庁舎でも、オフィスでも。その意味では、温存させる値打ちもあるということか。

たとえば、旧ヤマトホテル。南満州鉄道（満鉄）が経営したホテルで、一九一四年に竣工した。どうどうとした古典様式の建築である。本場ヨーロッパのホテルとくらべても、見おとりはしない。同じころの日本に、まだこれだけのホテルは、できていなかった。現在も大連賓館の名で利用されている。大連では、第一の格式をほこる施設である。

十九世紀のおわりごろまで、この街は小さな漁村であった。都市化がはじまったのは一八九八年になってからである。この年には、ロシア帝国が同地の租借権を獲得した。そのロシアが、街を大きくつくりかえていったのである。

なお、ロシア人たちはこの漁村を「ダーリニー」とよんでいた。「はるかかなた」の土地だ、と。モスクワやサンクトペテルブルクからながめれば、なるほどここは遠方に位置していた。わからなくもない命名である。「大連」の名は、そのロシア語に由来する。

この大連を租借する権利が、一九〇五年には日本へゆずられた。日露戦争の、いわば戦利品として。以後、大日本帝国はロシア帝国がはじめた都市づくりを、うけつぐことになる。そんな状況こそが、日本に建築面での見栄をはらせたのだろう。

帝政ロシアよりみすぼらしい建物を、たてるわけにはいかない。現地の人に、その点であなどられたらこまる。以上のような思惑で、日本側は建築の壮麗化に力をこめつづけた。建築面での日露戦争がつづいたのだと、建築史家の西澤泰彦は言う。うなずける指摘である。

大連の京都風

大連の話をつづける。この街では、帝政ロシア時代に、広場とロータリーがもうけられた。前にふれたヤマトホテルは、そのすぐ南側にできている。そして、ホテルの東どなりには、大連市役所がたてられた。百年ほど前の建物だが、今は中国工商銀行の大連市分行になっている。

戦前の大日本帝国は、植民地の都市にりっぱな西洋建築をたててきた。日本は西洋化、近代化に成功しているという。その姿を現地の人びとに、建築をとおして見せつけようとした。ロシアとはりあった大連では、とりわけその傾向が強くなる。旧大連市役所も、なかなか宏壮な庁舎である。

ただ、中央玄関口の表側へそえられた庇(ひさし)は、ややきみょうにうつる。軒の出が、日本の唐破風(からはふ)をしのばせる形に変形されている。壁面全体の西洋的なかまえからは、その部分がうきあがって見える。

同じように違和感をただよわすしつらいが、あとひとつある。中央塔屋の頂部にそびえるポールも、また調和がとれているとは言いがたい。

祭礼でつかう山車(だし)は、しばしばてっぺんに真木(しんき)をすえつける。祇園祭の山車に、その典型例はうかがえる。旧大連市役所のポールも、この真木をいやおうなく想いおこさせる。ためしに、玄関口の唐破風と頂部のポールを、頭の中でむすびつけてほしい。このふたつがくみあえば、山車の形におのずとなる。どうやら、建築家はここに山車がくりだす祭礼を、投影していたらしい。

庁舎を設計したのは、松室重光。京都に生まれ、京都にそだった建築家である。建築学じたいは、十九世紀末に東京帝国大学で修得した。卒業後は京都へもどり、京都府の仕事に従事する。だが、一九〇四年にはそれをやめている。あるいは、やめさせられた。

部下のひとりが、広隆寺の修繕費をくすねたせいらしい。上司の松室も、関与をうたがわれ辞職を余儀なくされた。裁判では無罪を勝ちとっている。しかし、元の職場にはもどらなかった。海をこえ、旧満州の大連へわたり、関東都督府の建築家になっている。

その大連で、松室は庁舎に祇園祭の山車をしのばせた。西洋的にしあげなければならないはずの建築へ、異物をまぜている。京都へかえりたいという望郷の念が、そうさせたのか。設計中には「コンチキチン」の響きも、脳裏をよぎったかもしれない。

新京庁舎の瓦屋根

中国の東北地方に長春（旧名・新京）という都市がある。街は一九三〇年代に、一からつくられた。広野にいとなまれた新都市である。きりひらいたのは、大日本帝国時代の日本人であった。ここは、まず旧満州国の新しい京、新京としていとなまれたのである。

その官庁街には、瓦屋根のかかった庁舎が、いくつもある。屋根だけをながめれば、古い寺や城のように見えるビルがたてられた。多くは、今ものこされ、つかわれつづけている。たとえば、旧関東軍司令部庁舎もそのひとつにあげられる。こちらは今、中国共産党吉林省委員会の施設になっている。

鉄筋コンクリートのビルなのに、どうしてそういう屋根をかけたのか。統治者である日本人が日本的にうつる建築を、現地の人びとに見せつけようとした。つまり、一種のお国自慢であったとみなすむきは、少なくない。

このとらえ方は、的をはずしている。そもそも、あの屋根に日本精神や日本文化の表現という意図は、こめられていない。あそこでは、中国建築に似せることがねらわれた。旧満州国の官吏には、現地の人も採用されている。そして、伝統的な形によそおわれた瓦屋根をよろこんだのは、彼らである。現地出身の官僚が歓迎している様子を見て、庁舎の意匠はその方向にそろえられた。今の日本人は、あの屋根を和風と感じるかもしれない。だが、現地では中華の様式として、うけいれられたのである。

旧満州国では、「五族協和」というたてまえがうちだされた。そこへつどう諸民族は平等である、と。しかし、日本語を公用語とする原則はくずせなかった。日本人を優遇する仕組みも、かえられない。だからこそ、建築では現地の共感をとりつける手だてが、採用された。

日本人に国家の中枢をになわせる方針は、ゆずれない。だが、建築の表現ぐらいなら、譲歩はできた。それで五族協和の構えが、少しでもとりつくろえるなら、屋根は中国風にしてしまえ。以上のような判断のもとに、新京の官庁街はたてられたのだと考える。

朝鮮や台湾で旧大日本帝国は、西洋風の総督府をたててきた。近代化に成功した様子を、現地の人びとに見せつけている。あるいは大連でも。だが、旧満州国では諸民族の共存を、うたいあげていた。とりわけ、その首都では、他都市にない表現を余儀なくされたのだろう。

ホノルルの「天主」閣

ハワイのホノルルに日本の天守閣をまねた建物がある。戦国の大名などいたはずもないところに、高知城を模したらしいそれは、そびえたつ。そして、ハワイの日系人たちがつどう教会になっている。

どうして教会が天守閣の形で、たてられたのか。この教会は、正式名称を「マキキ聖城キリスト教会」という。ハワイへわたった高知出身の牧師、奥村多喜衛の尽力で、一九三二年に建設された。その奥村が自伝的な読み物のなかで、天守閣にあやかった理由を書いている。

「日本最初の天主閣が天主即ち基督教の神を祭るために造られた史実に鑑み（中略）城の形に建た訳である」（『恩寵七十年』一九三五年）

天守閣でキリスト教の神、天主をまつっていた？　とんでもない歴史観だな。おまけに、天守閣を「天主閣」と書くなんて。そうあきれてしまうむきも、おられよう。

日本で、本格的な天守閣が登場したのは安土桃山時代、織田信長のころである。当時の文献はこの建物を、たいてい「天主」としるしている。「天守」や「天守閣」は、あとでひろがった表記なのである。奥村の文字遣いが、かならずしもまちがっていたわけではない。

のみならず、十九世紀末まで、天守閣はキリスト教の影響でできたとみなされていた。十六世紀に南蛮貿易がはじまり、ポルトガルの宣教師が天主の教えをつたえる。高くそびえる教会堂の話も紹介した。それにあおられ、たとえば信長が安土城に天守閣をもうけたと、考えられていたのである。

じじつ、江戸時代や明治初期の書物では、天守閣＝天主教起源説を、よく見かける。ここには、十九世紀末の辞書から、「天守」の語源にふれたものをひいておく。

「天守ハ、（松永久秀と織田信長が）共ニ天主教ヲ信ジタレバ、或ハ、天主ヲ祀（まつ）レルモノナラムカ……」（『言海』一八九一年）

「始（はじまり）は楼上に耶蘇（やそ）の天主を祭りたれば天主楼といひ……」（『伝家宝典明治節用大全』一八九四年）

だが、この一般通念を歴史学者の田中義成は一八九〇年に否定した。田中は安土桃山時代の「天主」が、仏教の経典に由来することをつきとめる。キリスト教の関与は考える必要がないと喝破した。そして、二十世紀には、この否定説が普及する。天主の教えが天守閣の登場をうながしたとする説は、わすれられるようになる。

ただ、一八九四年に日本をはなれた奥村は、そんな日本の学界情勢を知らなかった。だから、天主教起源説にしたがって、教会をたてている。マキキ教会の光景は、かつてこの説がまかりとおっていたことを、今につたえてくれる。旧説の隆盛期をしのばせる、遺跡のような建築なのである。

さて、安土桃山時代に、狩野宗秀という絵師がいた。京都にできた教会、南蛮寺の絵を、えがいている。これを見ると、当時の教会は天守閣形式の三層建てになっていたことが、よくわかる。マキキ教会は、意外なことに、そんな歴史ともひびきあっていたようである。

第七章　幻想と欲望の日本史

名古屋なまりの楊貴妃は

楊貴妃の名は、中国史上にかがやく絶世の美女として、知られている。日本では、クレオパトラや小野小町にならぶ、世界三大美女のひとりだとされてきた。もっとも、このトリオ、とりわけ小町をとりあげるのは日本人にかぎられるが。

その楊貴妃が、じつは日本の神だったという話のあることを、ごぞんじだろうか。ことわっておくが、もちろん実話ではない。ただ、鎌倉時代から、楊貴妃を熱田神の化身だとする伝承はできている。そして、江戸時代まで、これがおもしろおかしく語りつがれたのは、まちがいない。

楊貴妃は、八世紀のなかばごろまでを生きた。唐の玄宗皇帝をとりこにし、最高位の妃(きさき)である貴妃の座をいとめた、後宮の女性である。彼女におぼれた玄宗は政治をかえりみず、唐がおとろえるきっかけのひとつとなった。これが、学校でもならう二人にまつわる歴史である。

いっぽう、室町期以後の日本では、つぎのような物語がもてはやされた。玄宗皇帝の唐には勢いがあり、日本への侵攻をもくろんでいる。このままでは、日本があぶない。なんとかならないかと、神々があつまり知恵をだしあった。相談の結果、神々は熱田の神へ、名古屋の熱田神宮にまつられる神だが、対策を一任する。

まかされた熱田神は唐の長安へおもむき、彼の地で女になりすました。たいへんな美女にばけて、楊貴妃のことだが、玄宗皇帝の後宮へむかえられている。そして、皇帝を自身へのめりこませ、ふぬけのようにしてしまう。日本への遠征という軍事的な野心も、わすれさせた。日本がすくわれたのは、熱田神がみごとに美女を演じきったおかげである……。

今の読者は、ばかばかしいと思われようか。しかし、江戸期までは、けっこう人びとの話題にのぼっている。十七世紀の熱田神宮には、楊貴妃の墓だという五輪塔も、のこっていた。川柳でも「玄宗は尾張言葉にたらされる」などと、しゃれのめされたものである。

楊貴妃をまつる五輪塔は、もうない。しかし、塔の一部につかわれたという石が、今も境内の清水社におかれている。そこからわきでる地下水は、眼病にきくということであるらしい。私は、たまたま現地でであったご婦人から、おしえられた。この水で顔をあらえば、美人になるのだ、と。

それにしても、どうして熱田神宮なのか。わざわざ、男の神に女装させたのは、なぜだろう。女神がいないわけでもなかったのに。

熱田神宮は草薙の剣をまつる神社でもある。神話の英雄であるヤマトタケルの愛剣が、ここではご神体になっている。そして、その持ち主であるヤマトタケルには女装の物語がある。敵をうつため、女の姿になって相手方の宴席へもぐりこむ。その女っぷりに目尻をさげる敵の頭目へあゆみより、いっきに剣でさし殺す話である。

女装で敵を油断させ、ついにはほろぼしてしまう。そんな伝説で、楊貴妃の物語はヤマトタケルの剣があるという神社へ、付会された。熱田の神が、女装のヒーローに選ばれたのもそのためだろう。

群馬の六朝文化

群馬県高崎市の吉井町に、かつて多胡郡とよばれた地域があった。八世紀のはじめごろには、その名でひとつの郡ができている。また、そこには多胡碑という石碑がある。今も、たっている。七一一（和銅四）年にしるされた文章がきざまれた石碑である。

碑文にはこうある。この土地を羊に給して多胡郡を成す、と。あたり一帯を、羊にあたえた。多胡郡は、わざわざそのためにこしらえたのだという。では、羊とはいったい何者か。たしかなことは、わかっていない。おそらく、そう名づけられた人物、もしくは集団がいたのだろうとされている。

興味深いことに、吉井町では紡錘車とよばれる考古遺物が、しばしば出土する。糸をつくるための石材が、いくつもほりだされてきた。発掘で見つかる頻度は、周囲とくらべても、圧倒的に高い。ここは、紡錘車で糸をつむいだような人びとの集住地であったことが、しのばれる。

この製糸具は、大陸からつたわった。今でも、チベットの奥地では、もちいるところがあると聞く。それが、吉井町ではたくさん見つかっている。どうやら、このエリアには渡来系の紡績職人たちが、おおぜいあつまっていたらしい。

「多胡」という表記も、暗示的である。「胡」の字は異民族をしめすことが、よくある。「多胡」も、外国人が多い様子をさしていたのかもしれない。出土品の紡錘車も、いやおうなくそのことを暗示する。

さて、石碑である。そこにきざまれた文字の書体は、そうとう古めかしい。中国で、三世紀から六世紀につかわれた様式を、とどめている。いわゆる六朝時代の字体である。

江戸時代には、その古風な雅趣が、あらためて見なおされた。一七五四年には、書家の沢田東江（とうこう）が拓本をとっている。他の書家も触発されたのだろう。石碑の文字を油墨（あぶらずみ）でうつしとることが、ちょっとした書道界のブームになっていく。

一七六四年には、そうしてできた拓本のひとつが、朝鮮へとどけられた。来日した朝鮮通信使が、もちかえっている。そして、それは清国へつたわり、書道の手本書にうつしとられもした。六朝風をつたえる貴重な資料として、本国でも珍重されたのである。

日本の考古遺物が、考古学以外の領域で、海外から関心をあつめる。その数少ない例だと思い、あえて紹介した。

受胎告知と聖徳太子

聖徳太子の人生は、さまざまな伝説でいろどられてきた。「聖徳」という名も、没後にあたえられた諡（おくりな）にほかならない。生前は厩戸皇子とよばれていた。母の穴穂部間人皇女（あなほべのはしひとのひめみこ）が、馬小屋の戸口で産気づいたために、そう名付けられたのだとされている。

この誕生譚も、のちには多くの潤色を派生した。なかでも『上宮聖徳太子伝補闕記（じょうぐうしょうとくたいしでんほけつき）』に書かれたそれは、おもしろい。没後、二百年ほどをへた平安時代初期の読み物だが、そこにはこうある。

太子の母は、金色にかがやく僧侶の姿を、夢に見る。その金色僧は、夢の中で彼女につげた。自分はこの世をすくいたい。だから、お前の腹をかりて生まれることにする。この夢告をへて、馬小屋の戸口で産気づき出産したのが聖徳太子だというのである。

話の骨組みは『新約聖書』のルカ伝がつたえるキリストの生誕伝説と、つうじあう。「あなたはみごもって、子を生む。その名をイエスと名づけなさい。この子は、大いなる者となり、いと高き者の子ととなえられよう」。聖母マリアが、天使ガブリエルのそんな告知を聞いたあとに、イエスを出産する。生み落とされたイエスは飼葉桶（かいばおけ）に寝かされた。

馬が食べるための草をためた器の上に。この物語と『上宮聖徳太子伝補闕記』が伝える太子の出生譚は、なにほどもかわらない。

ひょっとしたら『上宮聖徳太子伝補闕記』の書き手は、聖書の話を知っていたんじゃあないか。

これが書かれた前ごろから、唐の長安では、キリスト教徒たちが布教をはじめていた。日本から送り込まれた遣唐使の留学僧が、その説法を耳にした可能性は、低くない。彼らは長安で聞きかじったイエスの生誕伝説を、日本へ持ちかえった。そして、それを太子伝、たとえば『上宮聖徳太子伝補闕記』の叙述に、借用したのかもしれない。

一九〇四年に、歴史家の久米邦武は、そう書きつけた（「聖徳太子の対外硬」）。翌年の『上宮太子実録』という著作でも、そのことをくりかえしている。

久米は一八七一年から二年近く、欧米諸国を歴訪した。岩倉具視を代表とする遣外使節団に、随行している。使節団の公式記録『特命全権大使米欧回覧実記』（一八七八年）をまとめたのも、久米である。

欧米では、キリスト教研究の仕事もあたえられていた。毎日曜日には、教会へでかけている。歴史につうじた久米は、自身を遣唐使の後裔としてもとらえていたと思う。長安の教会でイエスの物語をきいたかもしれぬ遣唐僧へは、想いもはせやすかったろう。

しかし、唐の都にいたのは、ネストリウス派のキリスト教徒たちであった。マリアの聖性を否定して、東方へ活路をもとめた一派である。彼らが、マリアの美化につとめるルカ伝をともなっていたとは、考えにくい。私は、彼らをとおしての伝播（でんぱ）説に、否定的である。

ただ、ビザンツやアラビアの海商らが、話を極東へとどけることは、ありえたろう。『上宮聖徳太子伝補闕記』にルカ伝の痕跡があることじたいは、信じたいと思っている。

美貌の外交官

八世紀はじめの中国に、呂延祚（りょえんそ）という人がいた。唐王朝の官僚である。彼には、ニックネームがあった。まわりからは、「日本国使人」とはやされていたのである。日本からの使者、つまり遣唐使のようだ、と。

当時のある漢詩は、彼の「長大少髪」な様子を遣唐使風であったという。「少髪」は、留学僧たちの髪がそられていた様子をしめしている。「長大」は、背の高くりっぱな様子をさす。どうやら、日本の朝廷は、上背のある男を使節として派遣したようである。

阿倍仲麻呂は、七一七年に唐へおくられた。留学生のひとりである。今日なおよく知られる李白や王維ら名だたる文人と、彼の地でつきあい文名をあげた。のみならず、美貌でも評判をよんでいる。「美無度」――はかりしれないほど美しいと、仲麻呂を評した詩文もある。

七〇二年の使節には、粟田真人（あわたのまひと）がくわわった。ルックスでいちばんさわがれたのは、この人であったろう。『旧唐書（くとうじょ）』『新唐書』『唐会要』といったあちらの公式記録にも、書きとめられている。教養だけではなく、容貌にもひいでた人であった、と。

遣唐使は中国の新しい文明を、日本にもちかえっている。唐で編纂された書物を、たくさんたずさえ帰国した。そんな印象を、多くの人は彼らにいだいていよう。つまりは、向学心にもえた人たちだ、と。だが、それだけではない。学校の歴史ではおそわらないかもしれないが、あえて書く。彼らは、ルックスにもひいでていた。

外交史の大家として知られる森克己も、書いている。遣唐使の人選では、「容貌・風采・動作・態度などを選考の条件にしているらしい」(『遣唐使』一九五五年)、と。

遣唐使に先行する遣隋使の実態は、よくわからない。だが、唐へは、まちがいなく美しい男を派遣しようとしていた。美男えらびに心をくだく様子は、『続日本紀』『続日本後紀』もしるしている。おそらく、遣隋使の場合でも、イケメンが派遣されていたにちがいない。

唐の長安は国際都市であった。皇帝の前に各国の使節がいならぶ機会もあったろう。その場で他国におくれをとってはならない。新羅や渤海などの使節よりりっぱに見える外交官を、おくりこもう。日本の朝廷は、そこにも国威をかけたのである。

「日本国使人」という好意的な綽名が中国で成立したのも、その副産物にほかならない。

幻想のエンタシス

法隆寺の中門や金堂にある柱は、頂部と脚部がやや細い。しかし、中ほどは少し太くなっている。人の体になぞらえれば腹部、胴体が張っているように見える。そのため、しばしば胴張りの柱と称される。

古代ギリシャ建築のエンタシスと言われる柱にも、似ている。その類似性からエンタシスの柱とよばれたりもする。のみならず、法隆寺の柱は古代ギリシャの感化でできたと聞かされることも、よくある。

いわく、ギリシャの文明はアレクサンダー大王の遠征で、インドの西側までひろまった。パキスタンのガンダーラに、その名残をつたえる遺跡がある。そして、インドの仏教はこのガンダーラを経由して、日本へつたわった。そのため、ギリシャのエンタシスは法隆寺にとどいたのだと、私は学校でおそわっている。

ただ、アレクサンダー時代のギリシャ建築に、エンタシスの実例はない。また、ガンダーラでは、そういう形状の柱が、ひとつも見つけられてこなかった。だから、多くの研究者は、こう考える。柱の胴張りはギリシャにつながらず、東アジアで形成されたのだ、と。

日本でエンタシスの伝播が語られだしたのは、十九世紀の終わりごろであった。西洋を手本にして、日本を近代化させようとする。それをいそいだ時代に、舶来の文物は歴史の読み解きという場でも、重宝された。エンタシスの伝来幻想も、そんな時代相がもたらすメルヘンだったろう。今でも、法隆寺案内の観光ガイドは、よくこの話を口にするが。

さて、韓国の扶余に百済文化団地という施設がある。七世紀になくなった百済という国をしのぶ、一種のテーマパークである。ソウルから南へ百五十キロほどはなれたところに、百済末期の旧都だが、それはある。

なかに、百済の歴史的景観を再現した一画が、できている。韓国に、七世紀以前の木造建築は存在しない。そのためだろう。百済文化団地にたつ擬古風の建築は、大なり小なり法隆寺をまねている。けっきょく、往時の木造をしのぶ東アジアの遺構は法隆寺しかないことを、かみしめる。

さらに、同団地の擬古風建築は、しばしば柱の中央がふくらまされていた。そして、その膨張は、彼の地でもエンタシスと命名されている。ギリシャからつたわったという解説も、ほどこされていた。近代日本のメルヘンは、どうやら海をこえたようである。

イランにとどいた正倉院

正倉院は、奈良にある東大寺の宝物庫である。そこにおさめられた品々は、正倉院御物(ぎょぶつ)と称される。古美術を愛好する人びとには、長らく親しまれてきた。毎年の、いわゆる正倉院展にも、おおぜいの来場者がおしかける。

収蔵物の多くは工芸品である。カーペット、陶器、ガラス器などが、あつめられている。人気の秘密はそれらの古さにある。千年以上も前の品が、人びとの尚古趣味をみたしてきた。あとひとつ、それらがかきたてるエキゾチックな印象も、あなどれない。

宝物のなかには、海外からもたらされた品が、けっこうある。はるかに遠く、中央アジア、イラン、そして地中海方面からとどいた品も、まじっている。そのへだたりが、われわれの異国趣味をかきたててきたことも、まちがいないだろう。

ユーラシア各地の秘宝が、極東の奈良にのこされている。千年の時をこえて、正倉院に保存されてきた。そのまぎれもない実物が、目の前にある。以上のような感銘をあたえてくれることも、正倉院展の人気をささえているだろう。

十九世紀の後半には、この世界史的な正倉院像ができていた。少なくとも、研究者たちのあいだでは、みとめられている。ただ、ひろく一般人にひろがっていたわけではない。大衆的な人気が高まったのは、二十世紀のなかばからであったろう。一九四六年には、正倉院御物の公開がはじめられている。これ以後、各種のメディアが正倉院展の話題を、大きくとりあげるようになった。

シルクロードをとおって、御物はユーラシアからつたえられている。そんな物語も、けっこう流布された。正倉院じたいも、「シルクロードの終着駅」として紹介されるようになっていく。じっさいには、シルクロード以北のステップ地帯が、主な伝播経路となっていたのだが。

正倉院御物の伝来した途を、さかのぼってめぐりたい。そんな情熱にかられた中央アジアや、西アジアへの観光も普及した。評論家の白洲正子も、一九五〇年代の後半にイランへでかけている。

首都のテヘランへ到着した彼女は、さっそく街の骨董商をおとずれた。店員は、すぐに語りかけてきたらしい。「覚束ない日本語で、『ショソーインがほしいのか』」(『私の古寺巡礼』一九八二年)、と。日本のブームは、たちまちあちらで商品化されたようである。

イエズス会のヒロインに

戦国武将の明智光秀に、玉という娘がいた。大名の細川家にとつぎ、細川忠興の妻となっている。妻女としては、ほんらい「細川奥」とよばれるべきであろう。じっさい、江戸期までは、そうしるされやすかった。だが、今は「細川ガラシャ」が、彼女の通称となっている。

玉は二十五歳で、キリスト教に入信した（一五八七年）。ガラシャは、そのおりにさずかった洗礼名である。そして、十七世紀以後のヨーロッパには、もっぱらガラシャとしてつたわった。その西洋側でひろがった名前が、今は日本でも彼女の通り名になっている。幕末以後に逆輸入された名が、旧来の呼称を歴史の片隅へおいやったのである。

玉は関ヶ原の合戦があった一六〇〇年に死亡した。西軍の人質になることをこばみ、火に包まれた屋敷のなかで、はてている。これを、のちのイエズス会は、信仰をつらぬいたための最期として、ローマへ報告した。おかげで、彼女は聖女のような人物として、印象づけられるようになる。

十七、八世紀のヨーロッパでいちばん有名な日本人女性は、まちがいなく玉であったろう。とりわけ、イエズス会をささえたハプスブルク王家は、彼女のことをたたえていた。一六九八年にはウィーンの王宮で、玉がヒロインとなる音楽劇を上演させている。『気丈な貴婦人グラツィア――丹後王国の女王』と題されたものが、それである。

もちろん、皇帝レオポルト一世をはじめとする王族の人びとも、列席した。玉がキリスト教とのかかわりで美化されたドラマを、目のあたりにしている。また、彼女の高貴な振る舞いはハプスブルク家の、とりわけ女性の手本になるとみなされた。

のちの女帝マリア・テレジアも、彼女のことを知っていた可能性は高い。娘のマリー・アントワネットにだって、語りつがれていたかもしれないと、私は考える。

前にもふれたが、マリーはフランスの王妃となった。しかし、フランス革命では、ギロチン刑を余儀なくされている。おくすことなく、ほこらし気に断頭台へのぼったとされるマリーのことである。処刑の一瞬には、遠く日本の「気丈な貴婦人」へ、想いをはせていただろうか。

だが、少女時代のマリーは遊び好きで、勉強をしなかったらしい。家庭教師たちも、匙をなげていたという。ガラシャについての教養は、とどいていなかったかもしれない。

ガラシャ凱旋(がいせん)

明智光秀の娘で、細川忠興の妻にもなった玉の話をつづける。前にものべたが、彼女は今日、細川ガラシャとよばれている。本名の玉で名ざされることは、あまりない。霊名のガラシャが、その通称になっている。なお、ガラシャはラテン語で賜物というほどの意味をもつ。天、あるいは神からのさずかりものを、さしている。本名の玉にかけた命名か。

江戸時代の日本で書かれた戦国期への言及に、彼女をガラシャとよぶ例は、ほとんどない。しばしば、かえりみられた女性だが、キリシタンとしては論じられてこなかった。自分の名誉をまもるため、屋敷に火をはなち、子どもらもまきぞえにしてしまう。そんな烈女ぶりが、かつては語りつがれ、記述されてきた。

信仰の美談をうんぬんしはじめたのは、十七世紀以後のヨーロッパである。彼の地では、ガラシャ、グラツィア、グラシアなどとよばれ、ちょっとした有名人になった。そんなヨーロッパ化された人物像が、十九世紀後半以降の日本に、もちこまれたのである。もちろん、つたえたのは、開国後に日本へやってきた宣教師たちだった。

彼らは、説教のおりなどに細川ガラシャのエピソードを、紹介しただろう。パンフレットをつうじても、日本人に教えたと思う。彼女が、いかにけだかい信徒であったか、を。

劇作家の藤沢古雪（こせつ）が一九〇七年に、『史劇　がらしあ』をあらわした。日本の著述家がキリシタンという側面に光をあてた、ごく初期の例である。以後、さまざまな媒体をとおして、玉はガラシャになっていく。烈女像は後景にしりぞき、キリシタン像のほうが浮上した。宣教師のもたらした舶来の物語が、じゅうらいのそれを凌駕（りょうが）したのである。

今日、テレビの時代劇などはガラシャの役を、美人女優にあてがいやすい。われわれも、なんとなくきれいな人だったんだろうなと、想いこまされている。しかし、江戸時代の史書に、少数の例外もあるが、彼女の美貌を強調したものはない。ガラシャを美人にしたのは西洋であり、われわれは今、そちらをうけいれているのである。

玉の人物像は、ヨーロッパで美貌のキリシタン女性に、ぬりかえられた。あちらで美化された像が、今はひろく普及するにいたっている。数百年の時をへて、玉はガラシャになり、凱旋帰国をしたのだと考える。

身分をこえて、国民に

江戸幕府は、十七世紀以来欧米諸国に、門戸をとざしてきた。オランダだけを例外とし、外交関係はむすんでいない。ヨーロッパへ使節をおくるようなことは、そのオランダにたいしてさえ、してこなかった。もちろん、留学生の派遣も、こころみてはいない。

態度をかえたのは、幕末になってからである。いわゆる黒船の来航で、少なからぬ日本人は欧米との技術格差を痛感した。やはり、あちらのすすんだ文明も、とりいれていかなければならない。そう考えをあらため、留学生もおくりこむようになっている。

一八六二年には、その一回目として九人の若者がオランダへ旅立った。榎本武揚や西(にし)周(あまね)も、このとき彼の地へでかけている。

その一行に、赤松則良(のりよし)という人がいた。あちらでは、六年間にわたり造船技術をまなんでいる。帰国後は新政府へつかえ、日本海軍の創設に力をつくした。

そんな赤松に、『赤松則良半生談』という自伝的な記録がある。叙述の多くは海外体験についやされている。オランダでの留学生活をつづった部分が多く、読み物としてもおもしろい。

留学生たちは、みな士分、つまりサムライであった。技術のわかる職人も、七名つきそっている。あと、学生の身のまわりを世話する従者、草履取も随伴した。

この草履取たちが、アムステルダムの街をしばしば上着と褌だけで歩いていたという。下半身をさらしながら闊歩していたらしい。

一八六四年に、幕府はフランスへ外交団を派遣した。その一行にしたがった草履取も、パリの街を同じ状態でうごいている。これをオランダ留学組の学生も、パリへおもむき目撃した。その見聞を、アムステルダムの仲間にもつたえている。

赤松の記録には、こうある。「之等は自分たちも経験して来たことであるが、草履取の徒輩が臀迄露出して白昼街路を練歩くのを見ては、同胞たる我等は穴へも入りたいような心持ちがしたということであった」

日本で彼らの褌姿を見ても、サムライたちは気にとめなかったろう。草履取ならそれがふつうだとうけとめ、心をみだすことはなかったと思う。だが、パリやアムステルダムで目撃したおりには、同じ民族としてはずかしいと感じた。彼らは異国の地で、ようやく身分をこえた同胞意識にめざめたのである。

まあ、今の日本に、彼の地で「臀迄露出して白昼街路を練歩」ける人は、いないのだが。

万延元年、大西洋のかけ声

アメリカのいわゆる黒船が、日本を開国へふみきらせたことは、よく知られる。一八五八年には、日米間に通商条約がむすばれた。その批准書をかわすために、幕府は外交使節を、ワシントンまでおくりこんでいる。六〇年に出発した、いわゆる万延元年の遣米使節が、それである。

一行は新見正興を正使とし、総勢で約八十人におよんだ。アメリカの軍艦にのせられ、太平洋をこえている。幕府がオランダから入手した咸臨丸(かんりんまる)も、これには同行した。日本国としてのメンツもかけた、一大外交団である。

あちらで、彼らは大統領のブキャナンと会見した。批准書の交換も、とどこおりなくすませている。しかし、役目をはたした一行が、すぐに日本へかえったわけではない。彼らは、大西洋へのりだし、喜望峰や香港もめぐって帰国した。世界一周の旅も、体験したのである。

大西洋の航路では、とちゅうカーボベルデ諸島のグランデ港にたちよった。アフリカの西側、セネガルの洋上六百キロほどのところに位置する港である。アメリカから喜望峰をめざすさいには、ここが中継港となっていたのだろう。

　さて、一行の随員には玉虫左太夫という人がいた。その玉虫が『航米日録』という使節の渡航記を書いている。そこには、このカーボベルデをおとずれたおりの逸話も、しるされていた。これが、じつにおもしろい。

　港には、商人たちがおおぜいいた。小舟で商品を使節の船までもちより、売りかけてくる者もいたらしい。その様子を、玉虫はこうあらわしている。

「果物ヲ売リ来ルモノアリ、能ク日本語ヲ覚ヘ、『分ラナイ』『スケベイ』ト云」

　片言で日本語を口にする者がいた。船上の日本人に「スケベイ」と声をかけている。下がかったよびかけで、親愛の情をしめそうとしたのだろうか。こういう言葉の伝播力には、脱帽する。まだ、開国直後なのに、もう地球の反対側までとどいていたのだから。

　二十世紀のはじめごろには、アメリカで日本人移民の排斥運動がおこっている。サンフランシスコでは、日本人が「ジャップ・スケベー」とよばれるようになった（伊藤一男『桑港日本人列伝』一九九〇年）。嫌悪感をこめた「スケベー」もあったということか。

　カーボベルデのそれには、ちがう含みがこめられていたと思いたい。

第二の大津事件

ロシア帝国最後の皇帝・ニコライ二世とその家族は、エカテリンブルクで殺害された。ソビエトの革命軍が、あやめたのだと言われている。

そのソビエトは、一九九一年に崩壊した。当時の新しいロシア政権は、この時エカテリンブルクで旧王族の遺骨をさがしだしている。彼らのなきがらを、改めてあつくあつかおうとした。王たちにむごくあたった旧政権とは、ちがう姿勢をしめそうとしたのである。

ただ、見つかった骨がニコライ二世のものかどうかは、なかなか見きわめられなかった。そのことでなやんだ新政権に、モスクワ滞在中の日本人が、示唆をあたえている。日本の大津市が、骨のDNA型鑑定に役立つ資料をもっている、と。

ソビエト瓦解の百年前、一八九一年のことである。のちのニコライ二世は、皇太子として日本を訪問した。

そして、大津へ足をのばし、凶漢から斬りつけられたことがある。その出血止めにつかったハンカチが、大津に保存されている。のこされた血をしらべれば、ニコライ二世のDNA型が読みとれる。これをエカテリンブルクで見つかった骨のDNA型と、てらしあわせればよい。そうすれば、判定ができる。

この着想を、日本の当局筋もうけいれた。うまくいけば、できたばかりのロシア政府へ、親善の意思をあらわすことができる。悪くないアイデアだと、考えたようである。

しかし大津で血染めのハンカチをまもってきた琵琶湖文化館は反対した。鑑定に際しては、ハンカチの一部がきりとられてしまう。そういう歴史資料の損壊を、当館がみとめるわけにはいかない、と。

資料の保全か、国際貢献か。この問題をめぐっては、日本のなかでも意見のくいちがいがあった。しかし、行政サイドは、ロシアへの協力につながる途をえらんでいる。

じじつ、琵琶湖文化館はハンカチの切断と提供を余儀なくされた。国際親善をという当局の圧力がはねつけられず、資料の破損をうけいれている。同館はこの経緯を、百年後にくりかえされた第二の大津事件と、よんでいるようである。

ざんねんながら、このハンカチは鑑定に使えなかった。事件後、皇太子の血でそまったこの布に、幾人ものロシア人が接吻をささげてきたらしい。その唾液も混入しており、当人のＤＮＡ型は読みとれなかったという。琵琶湖文化館には、気の毒であったと言うしかない。

第八章　ことばとアニメの底力

ラトビアの少女は今

ソビエト連邦が崩壊した、その三、四年後、一九九〇年代なかばのことである。私はチェコのプラハという都市をおとずれた。同市のカレル大学でもよおされた日本研究の集会に、顔をだすためである。

そこで、私はブリギッタ・クルーミニャという女性にであっている。ラトビアの人である。ねんのため、説明をしておこう。ラトビアは、ながらくソビエト連邦にぞくしていた。一九九一年になって、ようやく独立を勝ちとった国である。今はEUの加盟国となった、いわゆるバルト三国のひとつにほかならない。

ブリギッタさんは、そんなラトビアの首都リガで日本語学校を運営してきた。その初代校長である。カレル大学の集いでは、日本語教育にまつわる話を、あれこれしてくれた。生徒がつづったという作文の披露にも、およんでいる。

私は、九歳の少女がしたためたそれに、目を見はらされた。字が美しい。字画の多い漢字も、ちりばめられている。これを小学三年生の児童が書いたのか。同年代の日本人より、よほどみごとな出来栄えだなと、すっかり感心させられた。

ブリギッタさんは、少女の漢字学習へむかう向上心に、ブレーキをかけているという。まだ、むずかしい漢字はおぼえなくてもいい。基礎がだいじだと、言い聞かせている。なのに、もっと漢字をおしえてくれとせがまれ、こまっている。目を細めつつ、そうこぼされた。聞きわけのない生徒が、かわいくてたまらないといった御様子を、おぼえている。

いつか、ラトビアのリガへいく機会があれば、その日本語学校をおとずれてみたい。私はそう思うようになりだした。そして、二〇一八年の八月に、とうとうたちよったのである。

ざんねんながら、ブリギッタさんはもう亡くなっておられた。今はべつの人が校長になっているという。

それでも、私はたのみこみ、授業風景をのぞかせてもらった。見れば、児童から青年まで、能力はまちまちな生徒たちが大きなテーブルをかこんでいる。ちょっとした寺子屋だなと、思わされたしだいである。

九歳の少女が書いた作文で、二十数年前に感心した。私がそうつげると、年長の生徒から感動的な言葉を、帰りぎわにかえされた。今の校長は、その少女ですよ、と。

外国人の語り口

日本語をおしえる機関は、世界各地に点在する。たとえば、日本語学習のコースをもうけている大学は、少なくない。民間の日本語学校も、まま目にする。

日本人の先生が指導にあたっているところも、けっこうある。そして、そういう日本語教師に、男性の姿はあまり見かけない。海外の現場で遭遇するのは、たいてい女性である。おおざっぱな物言いになるけれども、七、八割は女性でしめられていそうな気がする。

日本語の会話には、性差がある。女性口調と男性口調のあいだには、まだまだズレがのこっている。そして、日本から海外へ派遣される日本語の指導者には、女性が多い。そのため、外国で日本語をおさめる人びとの話しぶりは、女性的になりがちである。

外国人男性の日本語に接し、フェミニンな語り口だなと感じる人は、多かろう。そのことでは、いぶかしく感じるむきもあるだろうか。ここでは、彼らが日本人女性から言葉をおそわった可能性の高いことを、指摘しておこう。

もちろん、男のしゃべりかたも、伝授はされている。たとえば、一人称の「僕」についても、手ほどきがなされていないわけではない。しかし、「俺」や「儂（わし）」そして「己等（おいら）」

などは、あとまわしにされてきた。まあ、そういう語彙をはじめから教えこむ必要はないと、私じしんも思いはするが。

さて、私は一九七〇年代の後半に、日本へきたあるインド人男性とであったことがある。京大の理学部でまなぶ留学生であった。もともと理科系だったので、インドでは日本語を学習していない。日本語でのやりとりは、京都へきてから見よう見まねでマスターしたという。

彼が下宿にえらんだのは、京都のさる家で、その離れに寝泊まりをしていた。母と娘だけがいる家で、男はいなかったらしい。自分は用心棒がわりに部屋をあてがわれたのかもしれないと、当人は言っていた。

家での話し相手は、もちろんその母と娘だけ。おかげで、彼はすっかり京都風の女言葉にそまっていた。「ひや、うちら、そんなん、かなんえ」といった調子で、私にも語りかけてくる。自分は用心棒だと言うくせに。日本語での口調が女性化する理由に、こういうケースもありうることを、のべておく。

その後、彼はどうしているだろう。インドへかえって、日本語をおしえていたらおもしろいのにな、とひそかに思っている。

関西なまりの英語とは

一九八〇年代の、なかばごろであったろうか。アメリカ帰りの先輩から、おもしろい土産話を聞かされたことがある。くだんの先輩は、ボストンのハーバード大学に留学をしていた。その滞在中に、学内の掲示板で、こんな求人告知を見たという。

日本語を、日本人からおそわりたい。ただし、東京およびその近郊で生まれそだった者にかぎる。

おそらく、この告知をかかげた人の周囲には、教師の人選で失敗をした者がいたのだろう。訛(なま)りのひどい日本人から日本語をまなび、その方言がぬけなくなってしまった。その先例が教訓となって、東京生まれの日本人を、強く求めるにいたったのだと思う。自分は標準的な日本語を身につけたいのだ、と。

求人主の気持ちがわからないわけではない。だが、関西弁しかしゃべれない私は、不愉快になった。九州男児である先輩ともども、ひどい告知だなと語りあったものである。

以来、私はハーバードという学校が、なんとなくきらいになった。東京以外の人間を門前ばらいする。そんな連中がつどうところだと、きめつけて。

二〇一五年の秋に、そのハーバードへでむく用務を、勤務先からあたえられた。あちらで、私たちとの共催による日本研究の集会を、ひらくのだという。私は立場上、その出張をことわれない。いやおうなく、ひきうけさせられた。いや、それだけではない。会の冒頭に挨拶をする役目も、もちろん英語でだが、おおせつかったのである。

しようがない。これもつとめである。そう自らに言いきかせ、私はスピーチの草稿を、つたない英作文でまとめあげた。そして、その挨拶文をよどみなくしゃべれるよう、朗読の練習にもおよんでいる。渡航中の機内でも、ほとんど寝ずに、頭のなかでそれを反復したものである。

その成果もあったのだろう。私はたいしたミスもなく、挨拶をおえることができている。いや、できたと、そう思った。

会場には、ボストン在住の日本人も、ちらほらいる。昼休みの食事時に、そのひとりから声をかけられた。関西の方ですか、と。ああ、なんということだろう。私は英語をしゃべったのである。にもかかわらず、私の英語からは関西の気配がただよった。関西訛りの英語というものがありうることを、思い知ったしだいである。

英語だけでことたりる

日本の大学は、多くの外国人留学生をうけいれている。日本人より留学生のほうがおおぜいいる研究室も、まま見うける。大学をとりまく世界では、国際化という掛け声が、以前からかまびすしくなっていた。この傾向は、今後もつづいていくだろう。

文科系の留学生たちは、たいてい日本へくる前に日本語を学習する。日本語が読めないようでは、日本の歴史や文化にせまれない。そう思って、語学には熱をいれてとりくむのが、ふつうである。

だが、理科系の留学生は、そうでもない。事前に日本語を学んでくる者は、かぎられる。日本語でのやりとりは、日本へきてから身につけるというのが、一般的である。

じっさい、理科系の重要な研究は、英語で発表されるようになっている。日本人の研究者も、勝負をかけるような論文は、たいてい英語で書いてきた。大学じたいが、英語での成果報告数をきそいあうようになっている。留学生たちも、研究室にいるかぎり、日本語をあやつる必要は、さほどない。英語ができれば、じゅうぶんことたりる。

とはいえ、日本でくらすあいだに、日本語を覚えようとする留学生も、そこそこいる。

日本人学生と、日本語でつきあいたい。日本人の異性を、もちろん同性もありうるが、好きになった。日本語でも、彼や彼女と話しあえるようになれないか。日本のテレビをおもしろく感じた。ちゃんと聴きとれるようになりたいと思う。

以上、動機はいろいろあるが、日本語への学習意欲をいだく者は、少なくない。

しかし、理科系の研究室は、そういう志を萎縮させがちである。研究室の指導者たちは、しばしば留学生につげるという。君たちは、日本語など習得しなくてもかまわない。そんな暇があるのなら、英語で研究成果をまとめることにつかってくれ、と。

私は留学生から、以上のような内情を知らされたことがある。日本語学校の先生からも、似たような話は聞こえてくる。いや、理科系の先生から直に言われたこともある。大学の水準は英語の成果で、はかられる。留学生に日本語のトレーニングをさせるゆとりはない、と。

私も意欲のない留学生に、日本語学習をおしつける必要はないと思う。しかし、学びたいとねがう気持ちまでおさえつけるのは、やりすぎだと考える。まあ、英語での競争にあけくれる理科系の苛酷さを、私が知らないだけかもしれないが。

母の嘆きも海を越え

日本のマンガやアニメが、世界中で評判になっているとさわがれだして、ひさしい。このごろは、もうそんなのピークはおわったよと言われることもある。いずれにせよ、話題としては旧聞にぞくすることかもしれない。

それでも、このテーマをめぐり語っておきたいことがある。これから、しばらくの間は、マンガがらみの話につきあっていただきたい。

私が欧米圏でのマンガ熱にはじめて遭遇したのは、一九九三年のパリであった。オペラ座の近くにあるジュンク堂書店のパリ支店で、見かけたのである。日本のマンガにむらがるあちらの子どもたちを。

同店は、地下のフロアに、マンガの雑誌や単行本をならべていた。フランス語に翻訳されたものばかりではない。日本の書店にある日本語のマンガ書籍も、そのまま売られていたのである。

私が訪問した時は、『ドラゴンボール』の新刊が目玉商品になっていた。テレビのアニメ放映で、人気がでていたせいだろう。原作となったマンガ本を手にいれたい。そんな情熱に、現地の子どもたちはかきたてられていた。少なからぬ少年少女が、カウンターの前で行列をつくっていたのである。

子どもにつきそっていたある母親が、ぼやいていた。読めもしないのに、と。そう、彼らは読解できない日本語版の原典を、買おうとしていたのである。

わけのわからない言葉で書かれているのに、子どもをひきつける。それが、魔法の呪文めいて見えたのだろうか。あるいは、ハーメルンの笛吹き男がかなでる音楽のように、想えたせいかもしれない。くだんの母親は、私をつかまえ、にくまれ口をききだした。ほんとうにめいわくなものを売りだしてくれたものだというように。

聞かされて、いやおうなく想いだしている。一九六〇年代のはじめごろから、私じしんがマンガに魅いられだしたことを。そして、母が息子のマンガ熱にあきれ、なげいていたことも、脳裏へよぎらせた。

また、くだらないマンガなんか読んで。もう、いいかげんにしておきなさい。多くの教育に熱心な母親が、当時はそういう言葉を子どもにぶつけたものである。そして、そんな母親の慨嘆もまた、三十年後のパリで再現されている。世界へ普及したのは、マンガだけじゃあない。母の嘆きもひろがったのだと、かみしめた。

日本語でも売れている

日本語のマンガを買う行列が、できている。一九九三年にパリの書店で見たそんな光景は、私をおどろかせた。読めない日本語の本を、彼らはどうするつもりなのか。店員にも、そのことをたずねている。

あきれ顔の私に、店員はある青年を紹介してくれた。日本のマンガが語りあえるサークルの、肝いり役とも言うべき青年を。聞けば彼は『マジンガーZ』の作者である永井豪を、尊敬しているという。

永井豪なら、私も知っている。直接、話をうかがったこともある。そうつげると、青年は私のこともうやまいだした。あなたは、ゴー・ナガイと面識があるのですか……。まあ、永井氏とは『ハレンチ学園』や『けっこう仮面』を語りあっただけなのだが。

くだんの青年からは、あとで手紙をちょうだいした。つたなくはあるが、漢字カナまじりの文章をつづっている。日本語のマンガを読みたい。その一心で、日本語は勉強したらしい。ほぼ独学であるという。この手紙には、心の底から感心させられたものである。

話はとぶが、私は若いころに、イギリスのロックをよく聴いた。いわゆるビートルズ世代には、ぞくしていない。もう少しあとになってから、耳をかたむけだした口である。魅了されたのは、一九六〇年代末ごろからの、いわゆるハード・ロックやプログレッシブ・ロック。ディープ・パープル、レッド・ツェッペリン、ピンク・フロイド、そしてキング・クリムゾンなどである。なかでも、クリムゾンには魂をつかまれた時期がある。

ただ、どこかひねくれてもいたせいだろうか。今、列記したようなバンドにひかれるいっぽうで、私はさめた想いもいだいていた。

ビートルズやクリムゾンは、世界各地で人気をあつめている。もちろん、彼らの音楽がすばらしいからだろう。だけど、それだけじゃあない。英語でうたわれているから、世界が受けいれたのではないか。英語がサウンドの国際的な普及をたすけているとも、考えていた。

しかし、一九九三年に私は目撃したのである。日本語のマンガが、パリで読者に行列をつくらせている。ローカルな言葉である日本語の作品が、海外でも支持されている現場を、目のあたりにした。

かつていだいたロック観を反省したのは、その時である。英語の力ばかりを、大きく見つもるべきではないと、今は思っている。音楽鑑賞も、よりすなおになれたようである。

月野うさぎとリン・ミンメイ

外国へでかけるさいの手続きは、二十一世紀になり簡略化されている。たとえば、出国カードがなくなった。あれにいろいろなことを書きこむ手間から、今の旅行者は解放されている。

かつては、出国審査窓口の手前に、未記入の出国カードが、たくさんおいてあった。そこから一枚ひきぬき、あたりにしつらえられた机の上で、必要事項を書きいれる。それを窓口でしめしてから、搭乗口へむかったものである。

もちろん、机上には記入見本となるカードも、おかれていた。記載にあたって、みんなが手本とするべきカードである。記入例は、わかりやすくしたほうがいいだろう。たとえば、関西空港のそれなら、氏名は関西太郎や関西花子あたりが、おすすめか。泉佐野市にもまたがる空港なので、女性名を佐野泉とする手は、あるだろうけど。

さて、私は一九九五年の三月に、はじめて関空をつかっている。もちろん、まだ出国カードへの記入が、義務づけられていた時代である。出国カウンター前の机には、記入見本のカードも、いくつかおいてあった。

男性名の記入例が何であったのかは、もうおぼえていない。あまり印象にのこっていないから、たぶん凡庸な名前だったのだと思う。だが、女性名の二例には、おどろかされた。四半世紀をへた今日でも、記憶にのこっている。ふりかえって、ここに紹介しておこう。

ある記入見本には、こう書いてあった。「月野うさぎ」と。そう、『美少女戦士セーラームーン』のヒロイン名が、そこにはおどっていたのである。「月にかわって、おしおきよ！」と悪党へむかって言いはなつ、アニメの美少女が。

この例示でおどろき、私はほかの見本にも目をうつしている。べつの机においてあるのも、見わたした。そして、あと一点だけ見つけたのである。「リン・ミンメイ」とされた記入見本のカードを。

リン・ミンメイは『超時空要塞マクロス』（一九八二年）というアニメのヒロインである。まだ、できて間もなかったころの関空には、マクロスびいきの職員がいたのだろうか。まあ、出国者のアニメファンが、勝手に記入見本をさしかえたのかもしれないが。

いずれにせよ、どちらのアニメも、世界へはばたいたころではあった。新設空港の門出をいわうにはふさわしい、うってつけの見本であったと思っている。

往還するセーラー服

『美少女戦士セーラームーン』は、一九九〇年代から、世界を席巻した。少女たちがたいそうセクシーによそおわれたセーラー服姿で、悪党たちとたたかう。そんなアニメが、各国で評判をよんでいる。

九〇年代後半のアメリカでは、ハロウィーンの仮装に、このいでたちがとりいれられた。今でも、コスプレの古典的な衣装として、ひろくみとめられている。私は、やはり九〇年代に、モスクワで美少女戦士に扮した女性を見かけたことがある。

一九九八年には、カナダで『ワン・ウィーク』という楽曲が発表された。なかに、こんな歌詞がある。「チャンネルを〝セーラームーン〟にかえろ……」と。戦闘モードへ変身した戦士にときめく男心を、うたいあげた曲である。カナダのみならずアメリカでも、これがずいぶんヒットしたという。

周知のように、北米では未成年への性的な視線を規制する傾向が強い。『セーラームーン』も、その点では良識派からきらわれた。しかし、だからこそ、ポップな世界では、喝采をあびたりもしたのだろう。

ほんらい、セーラー服はセーラー、つまり水兵たちが着用する海軍服である。二十世紀のはじめごろに、イギリスで女子学生の通学服に転用された。そして、それはヨーロッパ大陸やアメリカにも、ひろがっている。日本で普及しはじめたのは、一九二〇年代からであったろう。二十世紀のなかばごろには、たいていの女学校で、このセーラー服が制服として採用された。今は、やや下火になっているような気もするが。

欧米では日本ほど一般化しなかった。一時的にはゆきわたったが、すぐすたれている。今は、そもそも学校の制服じたいを、ほとんど目にしない。まあ、一部の尼僧院付属女子学校には、残存しているかもしれないが。

セーラー服の女子学生姿が、ほとんど絶滅した。そんな二十世紀末に、欧米では『セーラームーン』の放映が、はじまっている。これを見た祖母のなかには、孫へ語りかけた者もいただろう。昔は、おばあちゃんも、こんな格好をして学校へかよったんだよ。スカートは、もっと長かったけれどもね、と。

ピチピチとした美少女戦士の姿になじんだ孫は、この回想をうけつけまい。外見のギャップゆえに、なかなか信じようとしないだろう。えっ、おばあちゃんが、と。おかあちゃんの世代は、もうセーラー服をきていなかった。子どもとこんなやりとりができるのは、おばあちゃんにかぎられよう。

おたくへのプレリュード

日本のアニメは、さまざまなヒロインを世におくりだしてきた。今でも、アニメ好きに語りつがれるキャラクターは、おおぜいいる。今回は、私も衝撃をうけたリン・ミンメイのことを、語りたい。

彼女は、『超時空要塞マクロス』に登場するアイドルである。うたっておどることを仕事とする美少女として、キャラクターは設定されていた。

物語は、異星人と人類のあいだにくりひろげられた宇宙戦争を、えがいている。よくあるSFアニメの型でできていると、言うしかない。だが、ヒロインのになった役目は尖端的であった。

異星人は、圧倒的な軍事力をもっている。また、彼らの思考そのものも、冷酷なミリタリズムにそめあげられていた。武力では、人類に勝ち目がない。

そんな人類をすくったのは、ミンメイの歌声であった。かがやかしいアイドルは、異星人をも魅了する。軍事優先でこりかたまった彼らの精神を、解体させた。そして、戦争の放棄、人類との共存へ、彼らをみちびいたのである。

強い異星人に、たちむかう。そんな物語のなかで、じゅうらいのアニメは、さまざまな新兵器をひねりだしてきた。超人的な人類の味方も、手をかえ品をかえ登場させている。しかし、アイドルとしての魅力で敵を武装解除へおいこむ人物造形に、前例はない。アニメ史上に、画期的なヒロインであったと思う。

アニメの美少女に、「萌え」の心をいだく。アイドルの一挙手一投足に、心をたかぶらせる。現実の女性ではなく、仮構世界の少女にときめく。そんな男たちのふえたことが、二十世紀末には話題をよんだ。『マクロス』のミンメイは、そんな時代相を予感させた作中人物だと言える。

『マクロス』の時代に、まだ「おたく」という言葉はなかった。だが、制作者たちはのちにそう呼ばれる人びとのことを、念頭においていただろう。彼らを視聴者として意識した、そのさきがけではなかったか。

この作品は、一九八五年に太平洋をわたっている。アメリカでも、『ロボテック』として放映された。少なからぬ少年少女が、これにはひきつけられたらしい。非力な日本のアイドルが、軍事強国アメリカのたけだけしい心を、ゆさぶった。私はこの事態を、そういう『マクロス』的な構図のなかで、とらえている。

まあ、このごろ日本はアメリカにあとをおされ、ミリタリズムの増幅につとめているのだが。

飯島真理はアメリカで

『超時空要塞マクロス』の話をつづける。くりかえすが、ヒロインのリン・ミンメイはアイドルとして設定されていた。うたっておどる姿が、メディアに露出する。そんな仕事に生きる少女という役割が、彼女にはあたえられている。その魅力が異星人たちの心を動かしたことも、前にのべた。

ミンメイには、『愛・おぼえていますか』をはじめとする持ち歌がある。それを、じっさいにふきこんだのは、シンガーソングライターの飯島真理。いわゆるアイドルとは一線を画したミュージシャンであった。

彼女は、一九八九年にアメリカへわたっている。今でも、生活の拠点はあちらにおいているはずである。そんな彼女に、アメリカのマクロスファンは目をつけた。マクロスを語りあう自分たちの集会へ、さそっている。会場へきて、ぜひミンメイの歌声を聴かせてほしい、と。

こういう要請を彼女は、はねつけた。自分はシンガーソングライターの飯島真理である。マクロスのミンメイとはちがう。ミンメイを演じなければならないようなステージには、でたくない、と。

アメリカでくらす彼女は、英語の歌もつくっている。CDも制作した。そして、そうした楽曲がもとめられる場には、彼女もでむいている。舞台に立って、歌声を披露した。

だが、コンサートへつどったマクロスファンは、要求する。リン・ミンメイの歌も、日本語で歌ってほしい、と。それでも、彼女はファンのリクエストを、かたくなにこばみつづけたのである。「私はミンメイではない」と、来場者の前で言いきったこともあったらしい。

そんな彼女も二十一世紀をむかえ、姿勢をやわらげる。二〇〇二年には、ミンメイの曲をならべたCDも発売した。題して『マリ・イイジマ　シングス　リン・ミンメイ』。マクロスの初放映から二十年の時をへて、ミンメイになることをうけいれたのである。

今はライブで、ミンメイの歌をはさむことも、よくあるという。私じしん、日本のテレビで、彼女の『愛・おぼえていますか』を、聴いたことがある。

しかし、昔ミンメイを演じた人だから、自然にうたっているわけではない。アメリカのファンによる長年の懇願が、彼女をうごかした。彼女をかえたのは日本じゃない。アメリカのひいき筋だということを、強調しておこう。

『ベルばら』と日本文化

宝塚歌劇には、さまざまな名作がある。なかでも、いちばん有名なのは、なんといっても『ベルサイユのばら』であろう。とにかく、上演回数が多い。『ベルばら』という愛称も、国民的に流布された。

原作はマンガ家の池田理代子が、えがいている。『週刊マーガレット』へ、一九七二年から翌年にかけて連載した（計八十二回）。これが七四年に舞台化され、圧倒的な興行成績を記録する。月組にくわえて七五年には、花組と雪組も上演にふみきった。

作中には、オスカルというヒロインが登場する。男としてそだてられ、近衛隊士になった。いわゆる男装の麗人である。

初対面のマリー・アントワネットは、オスカルが女だと聞かされおどろいた。何度か話しあったことのあるフェルゼンも、当初は男だと思いこんでいる。美形だが、男らしいりりしさももちあわせた女性として、その人物像は設定された。

宝塚歌劇の舞台へあがるのは、みな女性である。男の登場人物も、男役とよばれる女性が演じることになっている。オスカルは、そんな宝塚にうってつけの役柄であったろう。

まんがの連載直後に、宝塚がこの作品へとびついたのも、そのためか。

さて、『ベルサイユのばら』は映画化もされている（東宝）。ロケを、ベルサイユ宮殿もふくめ、すべてフランスで敢行した。配役にも、欧米人をそろえている。日本映画としては画期的と言うしかないそんな時代劇が、七九年に公開された。ちなみに監督はジャック・ドゥミ、音楽を担当したのはミシェル・ルグランである。

主役のオスカルを演じたのは、カトリオーナ・マッコール。バレエの世界から芸能界へうつってきた女優である。バレリーナとしての素養が、ものを言ったのであろう。剣劇場面で見せる身のこなしなどは、あざやかであった。お顔立ちも、美しい。

ただ、美青年と見まちがうような女性では、ないような気もする。近衛隊の制服を身につけても、ああ女の人だなと、すぐわかってしまう。中性的な魅力を、私は感じなかった。

そこに不満をいだいた私は、宝塚の男役像をもとめすぎているのかもしれない。そして、中性的であることにこだわる私は、歌舞伎や宝塚を生んだ日本文化にとらわれている。海外版の『ベルばら』を見ながら、あらためてそうかみしめた。

和風のマリー・アントワネット

フランス革命がおこったのは、一七八九年。今から二百三十年以上も前のことである。四年後の一七九三年には、国王と王妃が処刑された。ルイ十六世とマリー・アントワネットが、断頭台で命をたたれている。

王に死罪をつきつけたのは、やりすぎだった。今のフランスには、かつての革命裁判を、そうふりかえる人が、おおぜいいる。ルイ十六世を斬首にする必要はなかった、と。革命二百周年のさいにおこなわれた世論調査では、そんな声が多かったと聞く。

いっぽう、王妃のほうには、あまり同情があつまらない。マリーは、あいかわらず、にがにがしくながめられている。人民が空腹を余儀なくされているときに、ぜいたくな暮しを満喫した。そうみなされ、今なお批判的に語られがちである。

周知のように、マリーはオーストリアの王室からむかえられた。フランス人はそんな彼女を、外国人としてうけとめやすい。共感がよせられにくい一因は、そこにもあるような気がする。

いっぽう、日本の歴史好きは、けっこうマリーに同情的である。王家の特権にあぐらをかいた浪費家とは、考えない。高貴な生まれの、けがれなき女性としてとらえたがる。フェルゼンとの不倫も、有閑階級の火遊びだとは思わない。けだかく、とうとい恋愛として想いえがく人が、多数をしめている。

くりかえすが、マリーはオーストリアからフランスにやってきた。しかし、極東の日本人は、フランスとオーストリアのちがいを、さほど気にしない。日本人の目には、どちらもじっぱひとからげの西洋人としてうつる。オーストリア人として彼女をながめるフランス風のまなざしは、いだきにくい。この点は、日本人がマリーを肯定的に理解しやすい、一因となっているだろう。

池田理代子がえがく『ベルサイユのばら』も、マリーを好意的にとらえている。宝塚歌劇の『ベルばら』も、高潔な王妃として彼女のことをあつかった。

二〇一九年には、能楽師の梅若実玄祥（みのるげんしょう）が『マリー・アントワネット』を発表する。いわゆる新作能である。のみならず、その初演はパリの劇場で敢行された。演出をてがけたのは、『ベルばら』の演出家である。

そういえば、宝塚の『ベルばら』もパリ公演をなしとげている。マリーびいきの日本的な表現は、いつかフランス人のマリー観をかえるのだろうか。

ラムちゃんも世界へはばたいて

『うる星やつら』はマンガ家、高橋留美子の初期を代表する作品である。その連載は一九七八年にはじまり、十年間つづけられた。掲載したのは『週刊少年サンデー』。もちろん、単行本にもなり、三十四巻で幕を閉じた。

私はこれを、はじまったころから読んでいる。ヒロインであるラムちゃんにひきつけられ、とびついた。いわゆる美少女だが、それだけにとどまらない。胸や腰に張りがある。また、たいそう脚の長い女子として、彼女はえがかれた。そのナイスバディぶりに、私は魅了されている。

空から地上へ舞いおりたというSF的な設定のせいだろう。彼女は雷神のような衣装をはおって、あらわれた。虎のパンツならぬ、虎柄のセパレーツ姿で、いきなり登場したのである。その図柄にも、阪神ファンの私は共感をいだいたような気がする。

連載がすすむにつれ、ラムちゃんのセパレーツはビキニへと変化した。肌をかくす布の面積が小さくなっている。その性的魅力がマンガの売り物になっていたことは、うたがえない。そして、少年マンガがこういう体形の美少女を前面におしだしたことは、画期的であった。のちのマンガ史にも、決定的な影響をあたえたはずである。

　また、ラムちゃんは、道徳心が欠落しているだらしない主人公を愛していた。美しいヒロインは、正義の味方であるヒーローによりそう。正しい少年のトロフィー・ガールとしてふるまう。そういう少年マンガの定型を、いとも軽やかにのりこえた。女性の作家が、作中の女子にも男えらびの主体性をあたえたということか。

　『うる星やつら』は、八九年に英訳され、アメリカで出版されている。女性の描き手として、高橋は先陣をきり、世界へはばたいた。売れゆきは、後にでた『らんま1／2』ほどかんばしくなかったと聞く。だが、ラムちゃんの訴求力は圧倒的であった。

　たとえば、販促用のビデオに彼女を登場させたロック・ミュージシャンがいる。マシュー・スウィートである。彼は腕にラムちゃんの刺青(いれずみ)までいれていた。

　また、イギリスでは「ウルセイヤツラ」というバンドまで、あらわれるにいたっている。その詳細を、私は知らない。しかし、ロンドンのタワーレコードで、九〇年代だが、たしかに彼らのCDを見た。今となっては、買いそびれたことがくやしい。

　ラムちゃんのキャラクターは、国境をこえて斬新に見えたのだと思う。

パロディかオマージュか

フランスのアングレームは、国際漫画祭をもよおす都市である。毎年グランプリ、つまり世界一の作家をえらんできた。二〇一九年には、さきほどふれた高橋留美子が、これをいとめている。邦人としては、二人目の受賞者ということになる。

日本人で最初に同賞を勝ちとったのは、二〇一五年の大友克洋であった。

大友を世界へおしあげたのは、なんといっても『AKIRA』という映画の成功であったろう。アニメ化されたこの作品は、一九八九年に全米で公開された。日本製のアニメとしては、画期的な興行成績をはじきだしている。このジャンルを、ひろく諸外国にも印象づけた。そのパイオニアだと言うしかない。

一九九〇年代のなかばごろであった。私は『AKIRA』の分析を熱っぽく語るフランス人に、であっている。日本文化を考える研究会で、会場はイギリスだったが、遭遇した。『AKIRA』の国際的な普及ぶりを、あらためてかみしめたしだいである。

さて、『AKIRA』には三人の少年が登場する。金田、鉄雄、そしてアキラ（28号）である。その名は先行する『鉄人28号』（横山光輝作）に、あやかっている。

ロボットの『鉄人28号』をリモコンで操作していたのは、主人公の金田正太郎であった。『AKIRA』の金田という名は、これに由来する。『鉄人28号』をつくった敷島博士は、息子を鉄男と名づけていた。『AKIRA』の鉄雄は島鉄雄がフルネームである。『鉄人28号』からの借用は、うたがえまい。そもそも、かんじんのアキラじしんが、28号と軍のスタッフからよばれている。

大友は『AKIRA』で、『鉄人28号』への敬意をあらわした。あるいは、ある種のパロディをこころみている。そのことを、あなたはどう思うか。私はイギリスで知りあった『AKIRA』論のフランス人に、懇親の席でそうたずねている。

返答は、たいへんあっさりしていた。考えたことがない。自分は『AKIRA』の世界観を問題にしている。日本マンガ史上の呼応関係は、日本人どうしで検討してくれ、と。

おおよそ、その十年後に、私はあるアメリカ人と語りあう機会をもった。そして、マンガ好きだという彼は、知っていたのである。『AKIRA』には、『鉄人28号』へのオマージュめいたところがある、と。海外におけるマンガ文化の浸透を、あらためて痛感したしだいである。

クール・ジャパンへの逃避

ブラジルのリオデジャネイロに、三カ月近く滞在したことがある。二〇〇四年に、私はリオの州立大学から日本文化論の講師として、まねかれた。その時は、日本に興味をもつ現地の学生たちと、けっこう語りあっている。

予想もしていたが、日本のアニメに魅了されたという学生が、とりわけ男子に多かった。アニメが好きで、日本のことを知りたくなったという者も、少なくない。

日本語学科の助手氏などは、私にこうつげていた。よくいるアニメ好きじゃあない。魅了されているのは、実写の戦隊ものである、と。『ゴレンジャー』以降の〇〇戦隊が、お気に入りであるということか。どちらも似たようなものだと思ったが、助手氏はアニメファンとの違いを強調していた。

ブラジルの青年と聞けば、日本人の多くはサッカーの猛者（もさ）を連想するだろうか。あるいは、カーニバルのサンバでおどる人たちのことが、脳裏をよぎるかもしれない。リズム感にひいでたスポーツライクな国民というブラジル人像も、いだきそうな気がする。

しかし、アニメ通の男子たちは、私にもあったそんな先入観をうちくだく。サッカーは、きらいだ。サンバの集いには、でたくない。多くの男子学生は、そんなふうに言っていた。女子のことはわからないけれども。

日本へ留学したことがある大学院生からは、つぎのような愚痴を聞かされている。日本の大学へかよいだしたら、すぐにサッカーのクラブや同好会からさそわれた。地域のサッカーチームからも、勧誘の声がかかっている。あれには、うんざりした。自分には、サッカーがいやで、ブラジルからにげだしているところもある。なのに、またサッカーか、と。

言われて、私も考える。ブラジル人なら、みなサッカーが好きなはずという偏見は、あらためねばならない。関西にだって、阪神タイガースに関心のない人は、おおぜいいるのだから。

アニメやマンガは、日本が世界にほこる文化のひとつに、しばしばあげられる。クール・ジャパンだと、もてはやされてきた。

たしかに、諸外国へ普及してはいる。しかし、そこに癒しをもとめるのは、やや非力な青年たちであるのかもしれない。当該社会の主流文化になじめない人がすがる逃避先として、ひろがったのではないか。

まあ、リオ州立大の体験だけでことを判断するのはどうかと、ためらいもするのだが。

進化論はゆるされない

日本のアニメには、かがやく輪を頭の上にうかべた人物が、しばしば登場する。その輪は、くだんの人物が神や天使であることをしめしている。あるいは、昇天する様子をあらわす場合もある。キリスト教的な図像を、日本社会はそのままうけいれていることが、見てとれる。

しかし、こういう描写が、イスラム世界のテレビではゆるされない。宗教的な禁忌をおかしていると、みなされる。放映するさいにも、頭上の輪はとりのぞかれてきた。まあ、消し忘れだってあったかもしれないが。

ポケットモンスター（ポケモン）のカードも、あちらではたのしみにくい。サウジアラビアの聖職者団体が、二〇〇一年にあるキャラクターを指弾した。以後、おおっぴらには遊びづらくなっている。

とがめられたのは、それがかかげるマークである。当該の表章はダビデの星印、つまりユダヤの象徴をしのばせた。シオニズムの旗印めいて見えるところが、せめられたのである。

キャラクターたちが、ゲームのとちゅうで進化をとげることも、きらわれた。たとえばピカチュウがライチュウに変身することなどが、批判の対象となっている。

イスラム世界では、進化論がみとめられていない。すべての生物は、神が創造した形を、そのままたもつことになっている。この宗教的な世界観を、あからさまに否定する考えは、しりぞけられる。ゲームは、そんなタブーの標的になったのだと言うしかない。

日本でくらす人びとなら、今のべたような指摘にあきれてしまうだろう。的はずれな言いがかりはやめてほしいと、思うにちがいない。あちらにいる日本通の人たちも、聖職者の判断には違和感をもった。

いや、それだけではない。そのために、論陣をはった人たちもいる。エジプトではカイロ大学日本学科の有志が、誤解をただすために立ち上がった。私はポケモンが槍玉にあがったことを、そんな有志のひとりから、現地で聞いている。頭上の輪についても。

ざんねんながら、彼らの活動も聖職者たちの判断をかえるまでにはいたらなかった。日本学科の抵抗も、多勢に無勢ということで、おし流されたようである。しかし、社会の無理解とたたかった学徒には、頭が下がる。われわれの研究も、日本社会の圧力に左右されないものであることを、念じたい。

第九章　酒と食は海を越え

酒のうんちく

ワイン通とよばれる人たちがいる。私もきらいなほうではない。だから、彼らに教えをこうことは、しばしばある。いいワインを推薦してほしいのだが、と。

だが、彼らと語りあっても役にたたない場合が、少なくない。うんちくの数かずで、煙(けむ)にまかれてしまうことが、よくある。

ブルゴーニュのワインか。どこそこの畑では、○○年にいいブドウがとれたと、報じられている。でも、某農園のブドウは、かくかくの理由で、出来が悪かったらしい。同じブルゴーニュで、年が同じだといっても、気をつけねばならないよ。ちなみに○○年なら、イタリア産だけど、トスカーナの××がおすすめだね……。

話は、しばしば、よりくわしくなる方向へすすんでいく。畑の土壌、地形の具合、陽当たりの様子、さらには地方の文化へもおよびだす。

近所のワイン屋ですすめられた商品は、だいじょうぶか。こちらは、そのセカンドオピニオンを聞かせてほしかった。ただ、それだけだったのに、とうていおぼえきれない情報をかえされる。けっきょく、かんじんなことは最後までわからない。そんなやりとりを、私は何度となくくりかえしてきた。

そのうらみもあり、ここには彼らへの邪推を書きつける。彼らは、ほんとうにワインの味がわかっているのか。ただ、ワインがらみの物語に酔っているだけなんじゃあないか。まあ、なかにはソムリエの資格をもつワイン好きだって、いるのだろうけど。

しかし、物語をたのしむ半可通がいたからこそ、ワインは日本でもひろく普及した。うんちくに興じる人びとがいなければ、これほどはでまわらなかったろう。その点は、日本酒を海外へ売りこむさいにも、あなどれないと考える。

灘と伏見では、水の質がこれだけちがう。新潟の雪解け水でできた酒には、またかくべつな味わいがあって……。とまあ、以上のように語りあう人びともいてこそ、流通がささえられるのではないか。

だが、灘や伏見という地名を知っている外国人は、ほとんどいない。兵庫の山田錦にピンとくる人も、少なかろう。ボルドーやブルゴーニュという地名が知られている日本とは、条件がちがう。日本酒の海外展開は、味だけで勝負をするしかないのだろうか。

ドンペリの巨匠も目をつけて

リシャール・ジェフロワという人を、ごぞんじだろうか。ワインやシャンパンの愛好家には、わざわざ説明するまでもない。ながらくフランスでシャンパンづくりにたずさわってきた。モエ・エ・シャンドン社で、ドン・ペリニヨンの醸造を指導してきた巨匠である。ひらたく言えば、ドンペリの味わいをきめてきた、その最高責任者にほかならない。

もう、ドンペリとかかわる仕事は、後進にゆずっている。会社もしりぞいた。そんなジェフロワ氏が、今は日本の富山で、日本酒のブレンドにいどんでいる。「満寿泉」で知られる当地の桝田酒造に協力をあおぎ、新しい途へふみだした。

じじつ、ジェフロワ氏は「白岩」という会社を、富山の立山町白岩にもうけている。この社名は、白岩という地名に由来する。そして、「IWA5」という銘柄の日本酒を、発表した。

ただ、白岩は、まだ独自の酒蔵をかまえていない。IWA5も、桝田酒造で調合されたのだという。とはいえ、あのジェフロワ氏がてがけたという威光は、圧倒的である。IWA5にも、名だたる世界のレストランから引き合いがきていると聞く。

こういう話を耳にすると、やはりうれしくなる。周知のように、このごろは日本酒の愛飲家がへってきた。ワインをはじめとする洋酒に、日本人の好みはうつりだしている。業界も、あまり明るい将来展望はいだいてこなかったろう。しかし、フランスの名伯楽は、日本酒のもつ潜在的な可能性を信じてくれた。

日本酒は国内での売り上げが、頭打ちになっているかもしれない。のみならず、日本の人口そのものも減少を余儀なくされている。しかし、かがやかしい評価を勝ちとり、世界へはばたく酒だって、ありうるのではないか。そんな夢をかいま見せてくれたジェフロワ氏のことは、ありがたく思う。

気になることがある。いわゆる夜の街では、ドンペリがとくべつな扱いをうけている。ホストクラブもふくむ接客の店では、しばしばこのシャンパンが豪遊客に供される。グラスをピラミッド状につみあげ、そのてっぺんからドンペリをそそぎこむことがある。

酒好きが酒をたしなむのではない。いせいのいい客が、自分の財力を誇示するために高級酒を、ただただ蕩尽（とうじん）する。あの光景をジェフロワ氏が目のあたりにしたら、どう想うだろうか。お見せしないようにしてあげたいとねがうが、もうごらんになったかな。

日本酒の国際化

日本へきて、日本酒の味わいにめざめる外国人は、少なくない。大吟醸、純米吟醸、本醸造といったちがいにこだわる人と、私はであったことがある。産地や銘柄にくわしい人も、まま見かける。つとめ先には、居酒屋の人類学的な調査へのりだしたアメリカ人も、籍をおいていた。

その魅力にとりつかれた酒好きは、日本をはなれた後でも、日本酒をのみたがる。本国へかえってからも、酒の想い出にひたりやすい。山形の「大山」は良かったな、高知の「司牡丹」は絶品だった、等々と。なかには、気にいった酒を買ってかえった者も、いただろう。

しかし、日本酒の多くは輸送の過程で、鮮度をおとしやすい。ワインなどとちがい、そういう耐性は弱いと聞いている。言葉をかえれば、傷つきやすくデリケートにできているのだ、と。もちかえった日本酒を母国でのみ、がっかりした人も、いたろうか。

酒造メーカーによっては、自社の商品を冷凍してはこぶこともあるという。この手で本来の品質が、どこまでたもてるのかは、よくわからない。しかし、凍結輸送へふみきる会社は、たしかにある。一定の効果が見こめるからこそ、こういう手だてもこうじられているのだろう。

とはいえ、手間のかかることはいなめない。運送のコストも、高くつく。すべてのメーカーが、こういうやり方をえらんでいるわけでは、けっしてない。

また、たいていの場合、輸入品の日本酒には高い税金がかけられる。市場へでまわると、価格はずいぶんつりあげられる。そのため、現地に醸造所をもうけるメーカーも、けっこうある。

アメリカの日本酒に魅了された外国人が、彼らの国で醸造にのりだすケースも、なくはない。アメリカのカリフォルニアでは、一九八〇年代から、そういう営みがはじまった。カリフォルニア米による酒造りが、開始されたのである。酵母や麴菌は、日本からはこびこんでいたらしい。どうやら、それらはアメリカの検疫をとおったようである。今では、アメリカ生まれの杜氏(とうじ)も、けっこういるという。

最近は、フランスでも、日本酒がつくられだしている。南フランスへゆけば、いい米がとれるらしい。ただ、精米の技術には、まだまだたよりない部分もあると聞く。それ以上に、私はあちらの硬水でだいじょうぶなのかと心配もするが、どうだろう。

酒量と民族

ブラジルは日系人の多い国である。二十世紀の、とりわけなかごろに、おおぜいの日本人が彼の地へうつりすんだ。とりわけ、サンパウロとその郊外で、彼らの姿はよく見かける。

私は二〇〇四年に、三カ月近くブラジルでくらしたことがある。サンパウロではない。滞在したのは、リオデジャネイロである。そして、リオに日系人はあまりいない。

とはいえ、ささやかなサークルはできていた。私じしん彼らのつどいに、顔をだしたことがある。サンパウロのそれとくらべれば、規模は小さかろう。しかし、だからこそ気がついたこともある。ここには、その発見を書きとめよう。

言うまでもないが、日系人の結婚相手は日系人や日本人にかぎらない。ポルトガル系やイタリア系、あるいはドイツ系の人たちとも、むすばれる。もちろん、ほかのアジア系などとも。とりわけ、日系の第三世代、第四世代になると、そういう縁組がふえていく。

第一世代の人びとは、しばしば欧州系のブラジル人を「ガイジン」とよぶ。同じ民族としてうけいれることに、いくらかの抵抗はあるのだろうか。しかし、私の見た日系人の集会には、欧州からきた移民も参加していた。日系人のパートナーたちである。家族であるかぎり、門戸は彼らにもひらかれていた。

くりかえすが、日系人たちの多くはブラジル社会にとけこみだしている。世代が下がるほど、その傾向は強くなる。血統にこだわれば、日系人の催しへあつまれる人は、数がかぎられてしまう。とりわけ、もともと日系人の多くないリオでは、さびしいイベントになりかねない。欧州系の家族がまねかれるのは、自然のいきおいであったろう。

さて、私が会場をおとずれたときには、ビールの飲みくらべがはじまっていた。舞台にあがった人たちがジョッキを、一杯、二杯とあけていく。もう、これ以上飲めないという参加者は、舞台をさり自分の席へもどる。最後までその場にのこるのは誰かという、酒量をきそいあうゲームである。

見ていると、日系とおぼしき顔立ちの人びとが、どんどんステージからしりぞきだす。とうとう、欧州系としか思えない人たちだけががんばる展開になった。聞けば、毎年のことであるらしい。この光景が日系人の祭りとして受容されていることに、私は感銘をうけた。と同時に、われわれがアルコールに弱い民族であることも、かみしめたしだいである。

アイゼンハワーとキッコーマン

アイゼンハワーという人がいた。第三十四代のアメリカ大統領である。もとは陸軍の軍人で、第二次世界大戦では、連合国軍の最高司令官をつとめた。ノルマンディーへの上陸作戦で指揮をとったのは、この人である。そんな軍事上の名声もあってのことだろう。一九五二年の選挙では、大統領にえらばれた。

日本へも、いこうとしたことがある。六〇年には、日米のいわゆる安保条約が改定され、むすびなおされた。そのスケジュールにあわせ、訪日する予定になっていたのである。新しい外交関係の成立を、ことほぐために。

だが、日本では少なからぬ人びとが、この新条約をきらっていた。粉砕しようとする運動も、大きなもりあがりを見せている。デモ行進の列からは、しばしば「アンポ、ハンタイ」の怒号がとどろいた。まだ五歳だった私も、そのシュプレヒコールはおぼえている。

けっきょく、日本政府は大統領の日本訪問をあきらめた。閣議で、訪日の延期要請をきめ、アメリカ側にもつたえている。フィリピンにまできていたアイゼンハワーも、これを了解した。日本の民衆運動が、大統領の外交予定をくるわせたのである。

その四年ほど前、五六年秋のことであった。アメリカでは、四年に一度の大統領選挙がおこなわれている。再選をめざすアイゼンハワーも、もちろんその候補者となっていた。そして、当選を勝ちとり、翌年からは二期目のつとめをはじめている。

さて、アメリカでは、はやくから各家庭にテレビが普及していた。選挙の動静も、しばしば放映されるようになっている。大統領選挙の開票速報は、視聴率のとれる人気番組だとされていた。有力企業がスポンサー役を買ってでる、優良ソフトだったのである。

五六年の大統領選挙においても、事情はかわらない。そして、そのころには、日本のキッコーマンがアメリカへ進出していた。

醬油の普及をもくろむ同社は、この大統領選挙に目をつける。販促の拠点と位置づけたカリフォルニア州の選挙速報を、丸ごと買いとった。一社だけの独占提供である。その日、カリフォルニアでは、キッコーマンの宣伝が、一日中ながされた。この会社は、そこを足がかりに、全米への販路をきずいたのである。

アイゼンハワーが、このことを知っていたかどうかは、わからない。だが、気づいておれば、自身への訪日反対運動を不可解に感じたような気はする。

テリヤキはアメリカから

江戸時代から、日本の醬油は西洋へ輸出されていた。オランダの商人たちが、長崎からはこびだしている。ルイ十四世の宮廷でも、料理の味つけにつかわれたことがあるらしい。しかし、その量はかぎられる。あちらの料理文化が、それで劇的にかわったわけではない。珍味として好む者のところへ、細々ととどけられていたというにとどまる。

本格的にこれをたしなみだしたのは、二十世紀後半のアメリカからだろう。いや、そのアメリカでも、当初は日系移民用の調味料でしかなかった。あるいは、日本から仕事ででむいていた出張者に、もっぱら供されていたのである。あちらの一般家庭へひろがりだしたのは、一九七〇年代になってからであろう。

そのころから、日本料理がアメリカの一般的な食生活にくみこまれたせいではない。当時は、まだそこまでいたっていなかった。醬油は日本食という文化の枠組みからきりはなされ、それだけでうけいれられている。くどいが、和食の全体が普及したのではない。まず醬油という単品がえらばれ、孤立的に浸透していった。

醬油がよろこばれたのは、肉料理とのとりあわせによる。肉を醬油にひたして、焼きあげる。そうして、醬油味のしみこんだ焼き肉を食べることが、一般化していった。

アメリカでは、この調理法がテリヤキ（ｔｅｒｉｙａｋｉ）とよばれている。そして、この言葉は七〇年代の終わりごろから、英語の国語辞典にも収録されだした。

この説明に、若い人はいぶかしがるかもしれない。肉を醬油で焼く料理なら、日本にもあるじゃあないか。テリヤキ・チキンだって、ふつうに食べているよ。いったい、それのどこが日本食の枠から切断されているの、と。

そう、今では日本にも照り焼きの肉料理がある。しかし、かつての和食は、この調理法を魚にしかもちいなかった。たとえば、鰤（ぶり）の照り焼きという形でしか、醬油では焼きあげていない。それが、和食文化における暗黙の了解となっていた。

アメリカの家庭には、そんな約束事がとどかない。あちらは、日本文化の縛りから自由である。魚以外の肉にも、平気で照り焼きを応用した。そうして、彼らなりのテリヤキをこしらえたのである。今は、そのテリヤキが、日本へ再上陸をしたのだと言うしかない。

伝統は外地にこそ

二〇〇四年に、三ヵ月ほどブラジルですごしたことは、何度も書いてきた。この本では、おなじみの話題になっている。今回もくりかえすが、あきずにつきあってほしい。

ブラジルは、いわゆる日系人の多い国である。とりわけ、サンパウロとその周辺には、おおぜいの移民がくらしている。日本からもちこまれたらしい品物も、よく見かける。日本起源の食料品や調味料とも、スーパーマーケットの棚で、しばしばでくわした。

醬油も、ポピュラーな商品のひとつになっている。ただ、メイド・イン・ジャパンのそれは、あまりお目にかかれない。よく、目撃したのは、「サクラ」と銘打たれた醬油であった。現地でつくられたものが、日系人たちにはなじまれていたのである。

キッコーマンやヤマサが、まったくなかったわけではない。スーパーの棚にも、点在はしていた。しかし、いかんせん値段が高い。少なくとも、私が見た二〇〇四年には、高級品と言うしかない価格が設定されていた。彼の地の日系人には、サクラのほうがずっとしたしまれていたことを、おぼえている。

ただ、メイド・イン・ジャパンのものとちがい、甘味がある。甘辛という形容がふさわしいテイストになっていた。こちらの日系人は、こういう醬油が好きなのかと、不思議に感じたものである。

いっぽうで、べつの想いもわいてくる。日本人は、一九〇八年からブラジルへうつりすむようになった。二十世紀のなかばごろまでは、移住のいきおいがつづいている。醬油も、おそらく早くから、たずさえていただろう。

ひょっとしたら、この世紀前半まで、醬油は今より甘かったのかもしれない。サクラは、昔のそんな味を、地球の裏側で、現代につたえている可能性もある。味覚がかわったのはわれわれのほうで、あちらのほうが元の味に近いのではないか。

証拠はない。ただの想いつきである。だが、日系人たちが会話でつかう語彙は、やや古めかしくひびく。なつかしい日本語だなと、いやおうなく思えてくる。ついでに、醬油もそうなのかと、考えさせられた。

大阪の鶴橋は、在日韓国・朝鮮人が多くすむエリアになっている。このあいだ、韓国の人からおしえられた。ソウルだと失われた暮らしぶりが、まだ鶴橋にはのこっている、と。サンパウロの醬油も、その類なのかもしれない。

吉野家のデザートは

アメリカで、吉野家をはじめて見たのは、いつごろだったろうか。今、正確にその時期をさぐる余裕がない。しかし、場所はおぼえている。ボストンのセントラルスクエアである。今もつづいているのかどうかは、さだかでない。また、牛丼の店でもなかった。日本の食材を主にあつかう食料品店だったのである。

それでも、吉野家という名前には、吉野屋だったかもしれないが、おどろいた。帰国後のみやげ話ができたと、思ったものである。アメリカには、吉野家がある。でも、「早い、安い、うまい」の店じゃあない。そんな話題がひろえた、と。

じっさい、日本へかえったあと、しばしば私はこの想い出を披露した。その何度目かに、アメリカ通の知人から、反論をかえされている。牛丼の吉野家を、あなどってはいけない。あのチェーン店は、アメリカにもある。あちらでも、よく見かける、と。

もっとも、「早い、安い、うまい」をうたい文句にはしていないという。じっさい、在米の吉野家には、食後のデザートも用意されているらしい。食後はコーヒーになさいますか、それとも紅茶にいたしましょうか。そう給仕係の店員からは声がかけられるとも、聞かされた。

のみならず、吉野家でデートをする若いカップルも、まま見かけるらしい。日本だと、吉野家にはもうしわけないが、あまりなじみのない光景である。アメリカの吉野家は、日本的な吉野家像から脱却した。あちらのレストラン文化に、とけこんだということなのだろうか。

あとでしらべ、わかったことを書く。牛丼の吉野家がアメリカで営業をはじめたのは、一九七五年からである。その第一号店は、コロラド州の州都であるデンバーにもうけられた。デンバーはロッキー山脈の東側に位置する高原の都市である。日系人は、あまりいない。なぜ、そんなところで牛丼の店は、はじまったのか。

日本の吉野家は、現地でミート工場を買収していた。ただ、そこでできた牛肉を日本へもちこむ許可が、なかなかもらえない。そのままだと、肉が彼の地で大量にあまってしまう。なんとか、これを活かす手立てはないか。そうおいつめられ、アメリカでのチェーン展開をはじめたのだという。

海外へ進出する日本の企業にも、いろいろな事情があるということか。

イナリズシの新展開

稲荷鮨のことは、誰もが承知していよう。鮨飯を、甘く煮た油揚げにつつんだ食べ物である。毎日いただくような料理ではない。しかし、口に入れたことがないという人は、ごく少数にとどまろう。

さて、このごろはスシ（Ｓｕｓｈｉ）が諸外国でもあじわえるようになってきた。海外旅行のさいに、あちらのスシ・バーへたちよったという人も、少なくないだろう。

と言っても、今海外で普及しているのは、いわゆる江戸前鮨である。蒸し鮨や押し鮨、そして熟（な）れ鮨は、ほとんど見かけない。稲荷鮨とでくわす機会も、まれである。

しかし、一九八〇年代のオランダには、イナリズシをだす店があった。私じしんが、それをあじわったわけではない。人から、かりにＡ氏としておくが、そういう店の存在をおしえられたというに、とどまる。だが、話じたいはたいそう興味深いので、ここにも書きつける。

オランダには、ヘールレンという小さい街がある。Ａ氏はそこで、ある中華料理店にたちよった。メニューを見わたすと、なかにイナリズシという表記があったらしい。

中華の店に稲荷鮨という取り合わせを、はじめはいぶかしんだ。下手物の類だろうという予感も、脳裏をよぎらなかったわけではない。だが、好奇心には勝てず、けっきょくそれをA氏は注文したという。

どんな料理をもってくるのだろう。わくわくしながらまっていたら、給仕は四角い豆腐がのった皿をはこんできた。

これのどこが稲荷鮨なんだ。どう見ても、ただの豆腐じゃあないか。しかし、豆腐なら、まあ安心して食べられる。そうふんぎりをつけたA氏は、くだんの豆腐を箸でつまみだした。四角形にととのえられた豆腐の一角を、きりくずしていく。

すると、豆腐の下からはチャーハンが、姿をあらわした。焼き飯が豆腐につつまれている。そんな料理が、この店ではイナリズシとよばれていたことになる。

おかしな食べ物でしょう。そうA氏は、ふりかえる。しかし、油揚げは豆腐を揚げた食品である。ヘールレンのイナリズシも、食材だけは日本の稲荷鮨とあっている。おそらく、中華のコックが、あやふやな伝聞にたよって、これをこしらえたのだろう。情報不足が料理人の想像力をかきたてたらしい経緯に、私としては喝采をおくりたい。

食卓への逆輸入

二十世紀も、おわりごろになってからのことだったと記憶する。私は街の料理店で、豆腐のステーキやサラダを見かけ、おどろかされた。こんな調理法もあるのかと、当時は感心させられたものである。

いったい、いつごろどうして、こういうメニューができたのか。その経緯を、私はよく知らない。ただ、おぼろげながら、おしはかれることはある。

かつて『太陽』という雑誌が平凡社からだされていた。その一九八三年七月号が、海外へつたわった日本文化を、あれこれ論じている。豆腐の普及にも、言葉をついやしていた。なかに、こんな指摘がある。

「豆腐ステーキ、豆腐サラダなど、日本人から見ると珍妙な料理法も開発されている」

豆腐をステーキにしたり、サラダにまぜる外国流は、「珍妙」だとされていた。八〇年代前半までの日本人には、違和感をいだかれる料理だったのである。

豆腐が「TOFU」として、最初にひろがったのはアメリカであった。おそらく、ステーキやサラダも、アメリカの料理人が考えだしたのだろう。

日本料理は、ながらく豆腐とむきあってきた。その扱いについても、ある種のならわしができていただろう。サラダにしてしまうという着想を、日本人はなかなかもてなかったにちがいない。

だが、外国のコックたちは、日本食のしきたりからときはなたれていた。おいしそうだと思えば、いろいろな試みにいどむことも、できたのである。たとえば、焼きかげんをあんばいしながら、ステーキにしたりして。まあ、その先駆者がアメリカ人だったかどうかの確証は、ないけれど。

そして、はじめ「珍妙」と想えたメニューも、今は日本に定着した。豆腐の本国でも、なじまれている。豆腐という食材の新しい可能性を、われわれは海外からおしえられたのである。日本料理という伝統にとじこもったままだと、気づけなかったひろがりを。

前に、私はオランダのイナリズシを紹介した。豆腐でチャーハンをつつむイナリズシである。日本食の慣習から自由な料理人はときにこういう、とっぴょうしもないことをしてしまう。しかし、なかには日本へもどって、われわれの食卓をゆたかにしてくれる変異例もある。まあ、イナリズシの凱旋帰国はありえないような気もするが。

アメリカの繁栄にあらがって

豆腐は、第二次世界大戦の前から、アメリカにつたわっていた。日本からの移民たちが、もちこんでいる。あるいは、チャイナタウンでくらす中国系の人びとも、これを彼の国へつたえていた。

だが、アメリカで多数をしめる欧州系には、なかなかひろまらない。それは、ながらく東アジアからでむいた人びとの食材であるに、とどまった。エスニックな食べ物であり、一般化はしなかったのである。

様子がかわってきたのは、世界大戦の後であろう。戦後には、おおぜいのアメリカ人たちが、日本へやってきた。連合国の占領統治にたずさわるためである。そして、日本へきた彼らは、いやおうなく日本食と遭遇した。豆腐ともであっている。これをきっかけとして、豆腐の味わいになじみはじめたアメリカ人は、多かろう。

二十世紀中葉のアメリカは、空前の繁栄を謳歌した。世界経済の過半を、この一国がしめるにまでいたっている。

しかし、こういう勢いは物質文明の隆盛をうとむ価値観も、同時にうかびあがらせた。

資本主義的な拡大から背をむける。いわゆるカウンター・カルチャーをも、ふくらませている。ヒッピーとよばれた人たちが禅に共感をよせたのも、その一例にほかならない。

大豆でつくられる豆腐も、そうした潮流のなかで人気を高めだす。肉食をひかえ、植物性の食材からタンパク質をとりいれる。カロリーの高いアメリカ的な食事を反省し、健康食にしたしもうとする。豆腐は、そういう要請にこたえる食べ物として、アメリカ人の食卓に登場した。食文化におけるカウンター・カルチャーの代表例として。

二十世紀のおわりごろには、この趨勢が政府の健康政策にもとどきだす。大豆でタンパク質をとる暮らしが、国家的な規模であとおしされるようになる。豆腐の生産量も、飛躍的に増大した。皮肉な話だが、商品としての資本主義的な成功も勝ちとったのである。四半世紀ほど前までは、反資本主義的な食べ物だとみなされていたのに。

英語学の研究者である早川勇氏が、『英語になった日本語』（二〇〇六年）を書いている。これによれば、「ｔｏｆｕ」は一九九〇年代以後、英語の語彙として、すっかり定着したらしい。もはや、外来語ではなくなっているという。その半面、日本からきた食べ物だという歴史は、わすれられだしているかもしれない。

和食と中華、あちらでは

若いころに、南ヨーロッパの建築を見てまわった。一九七〇年代のなかばをすぎたころである。当時の私は、建築をまなぶ、けっこうなまいきな学生であった。

カメラも持参したが、それほどつかっていない。建築の記録は、4Bの鉛筆によるスケッチですますことが多かった。絵にえがいたほうが、建物の形状は把握しやすくなる。写生がへたでも、理解はすすむ。そんな理屈へよりかかり、あちらこちらでクロッキーをくりかえした。

七〇年代は、海外へでかける日本人が急増した時期である。ヨーロッパ旅行も、その例外ではない。夏休み中のせいもあったが、私はいたるところで日本人旅行者を見かけている。そして、彼らはたいてい首からカメラをぶらさげていた。

そういう一般旅行者と、自分はちがう。建築を、まなびにきたんだ。次世代のアーキテクトである。この増長も、私を必要以上に4Bの鉛筆へおもむかせたと思う。

だが、私は各地の商店で、「コンニチハ」と声をかけられた。「サヨナラ」も多かったと思う。ふえつづける日本人客に対応するため、観光地の商人たちは挨拶用の日本語を学習した。その成果を、ぶつけてきたのだと思う。スケッチ旅行を自負する私も、とおりいっぺんの日本人にしか見えなかったようである。

二〇一〇年代にはいるころからであろうか。私は、彼の地で「コンニチハ」と、あまり言われなくなった。そのいっぽうで、「ニーハオ」という挨拶を聞かされる機会は、ふえている。ちかごろは、中国人旅行者だと思われだしているらしい。あちらでも、それだけ中国人の存在感が高まっているということか。

かつて、私は「コンニチハ」とよばれつづけ食傷した。でも、「ニーハオ」と言われだしたこのごろは、以前の「コンニチハ」がなつかしい。現金なものである。

中国のGDPが、日本のそれをおいぬいてひさしい。中国語の需要は欧米でも高まっている。にもかかわらず、中華料理店の数はへりだした。逆に日本食の店は、まちがいなくふえている。中華の店が和食の店にくらがえしたというケースも、少なくない。

日中の力関係をくらべれば、今は中国のほうが、いろいろな面で優勢になっている。なのに、食文化では日本のほうが強くなってきた。料理の盛衰と国力のそれは、かならずしもむすびつかないようである。

焼き鳥を経由して

かつて中華料理店だったところが、のちに日本料理店へ転業する。そんなケースが欧米には多々あると、前に書いた。書いたおかげで、私はパリの料理店事情を、想いだしている。

一九七六年のことである。パリ滞在中、私は大学都市の寄宿舎に寝泊まりした。値段が安かったからである。しかし、食堂でだされる料理はまずかった。音をあげた私は、市中でレストランをさがしだす。そして、中華の店がいちばんなじめることを、発見した。

なんと言っても、メニューが漢字で書いてある。麻婆豆腐や八宝菜が、どんな食べ物であるのかは、すぐわかる。注文がしやすい。味にもつきあえる。中華の店におちつきながら、自分は東洋人なんだなとかみしめた。

以後、半世紀近く、私は世界各地でいろいろなものを食べている。舌のメモリーも、おのずとふえた。そのうえで、あらためてふりかえる。七〇年代なかばのパリであじわった中華は、ベトナム料理に近かったな、と。

フランス文学者の鹿島茂さんから、その背景にある歴史をおそわった。ベトナム戦争で、少なからぬベトナム人が、旧宗主国のフランスへにげている。中国系のベトナム人も、なかにはおおぜいいた。そのせいで、パリの中華料理はベトナム風になったのだ、と。

今のパリには、和食の店がいくつもある。スシの店も、よく見かける。しかし、パリで最初にひろがった日本料理は、スシじゃあない。七〇年代のおわりごろから八〇年代にかけて、まず普及したのは焼き鳥であった。

以下は鹿島さんからの受け売りだが、つきあってほしい。そのころ、パリには「YAKITORI」というチェーン店が、出現した。経営者は日本人。だが、従業員には中国系の、ベトナムからきた難民を、数多く採用した。それまでは、中華ではたらいてきたような人たちを。やとわれた彼らは焼き鳥の調理法をまなぶと、すぐに独立する。チェーン展開がはじまったのは、そのためらしい。

ムッシュ・ル・プランス通りには、彼らの店が軒をつらねた。「焼き鳥横丁」という呼称も、とびかったようである。

その後、スシのブームがきて、これらの店はそちらへ業態をかえていく。中華の本流が、そうなったわけではない。生きのこりをかけた傍流の中華が、転身した。日本の料理が、パリで中華を凌駕したという単純な話では、ないらしい。

牡蠣(かき)はやはり「ジャポネーズ」

日本に、世界各地の料理があつまりだしてひさしい。とりわけ、一九七〇、八〇年代からは、その傾向が顕著になってきた。レストランも、今は和、洋、中華という枠をこえ、さまざまな店がある。雑食の民になってきたなと、自分が幼かったころをふりかえり、くらべてそう思う。

いわゆる珍味にそそられる点でも、われわれの好奇心はあなどれない。食中毒にもめげず、あぶない食べ物へいどんできた。キノコやフグなどに。その歴史にも感じいる。食には血道をあげる民族性があったのだろうな、と。

ただ、われわれの消化器、胃腸はあまり強くない。海外では、そう思わされる機会も、ままある。あちらのレストランでいただく食事に、私は音をあげることがないでもない。こんなに、食べきれないよ、と。こぢんまりした日本の盛り付けになじんだ人なら、たいていそう感じるのではないか。

パリのレストランで、日仏合同の会食だが、牡蠣をいただいたことがある。おいしくは食べられた。だが、日本人の仲間からは食あたりでやられる者も、ちらほらあらわれる。

いっぽう、フランス側の参加者は、みな無事であった。やはり、胃腸は彼らのほうがじょうぶなのかと、考えさせられる。

　フランスの牡蠣だから、あちらの人には耐性ができていた。日本人には、その馴れがなかったから、やられたのだろう。以上のようにうけとめるかたも、おられると思う。

　しかし、あちらの牡蠣には「ジャポネーズ」という名も、そえられている。タンカーの事故で、西フランス沖の牡蠣は、一時期絶滅しかかった。そのため、日本の牡蠣がもちこまれ、養殖もされるようになる。おかげで、フランスの牡蠣料理は、もちこたえることができた。「ジャポネーズ」という愛称がついたのも、そのためだと聞いている。

　もとは日本産という牡蠣で、少なからぬ日本人が胃をこわした。あるいは、肝臓にトラブルをおこしている。だが、フランス人たちは平気であった。彼らは「ジャポネーズ」への想い出もこめて、われわれを牡蠣へさそってくれたのに。

　やはり、日本人の体は、それほど強くないような気がする。にもかかわらず、われわれの祖先は珍味をもとめ、フグにもなじむようつとめてきた。食道楽と言うしかないこの好奇心は、特筆にあたいすると思うが、どうだろう。

和食とアニメ

海外では、和食の店がふえている。日本食料品店も、あちこちで見かけるようになった。私はこの本で、しばしばそう書いている。

しかし、世界中がそうなっているというわけでは、かならずしもない。日本人とよく遭遇する国でも、和食の店をあまり見かけないところはある。私のおぼえている範囲では、たとえばイタリアがそうだった。

いや、そもそもイタリアでは、外国料理の店じたいをあまり目にしない。街にならんでいる料理屋は、たいていイタリアの料理を売っている。和食が普及していないだけではない。隣国フランスの料理とも、でくわすことはまれである。日本流に言えば、フレンチが見あたらない。

ワイン店で売られているのも、おおむねイタリアのそれである。フランス・ワインは、あまりおいていない。イタリアの人は、それだけ自分たちの食文化に自信をもっているのだろうか。

知遇のあるイタリア人に、このことをたずねてみた。すると、フレンチを、頭から見下す答えがかえってくる。あんなのは、辺境地の田舎料理だ、と。

そういえば、フランス料理の源流はイタリアにある。十六世紀に、メディチ家のカテリーナ姫が、フランス王アンリ二世の后となった。その時、カテリーナはフィレンツェの料理人を、フランスまでつれていく。野蛮なフランスに、自分がたべられる食事はないと、おびえたためである。そして、この時もちこまれたフィレンツェ風が、フランス料理の礎となった。

そのせいか、イタリア人には、フレンチがイタリアンの亜流として見える。自分たちのほうが本家だと、どうしても思えるのだろう。フレンチを高級料理の代表格へまつりあげた現代日本は、彼らの目にどううつるのか。この点は、こわくて聞きそびれた。

ただ、そんなイタリアに日本のアニメは、かなりはやくからはいっている。たぶん、ヨーロッパで最初にとびついたのは、イタリアとスペインであったろう。くらべれば、北側のイギリスやドイツでは、アニメの流入がおくれた。文化的な抵抗が強かったらしい。フランスは、両者の中間くらいか。

そして、アニメをはじめはねつけた国々のほうが、和食の受容では先行した。アニメと親和的だったイタリアは、まだ日本料理になじんでいない。日本文化の国際化にも、さまざまな偏差があるということか。

どの口が言うのか

日本食をあつかう料理店や食材店が、ここ数十年ほど、欧米で増えている。また、あちら独自の工夫で形をかえた日本風の料理も、よく見かけるようになった。いや、擬日本風というべきか。そして、いくつかの変形例は、この本でも紹介してきたところである。

私はこういう現象を、おもしろがっている。たとえば、餡のかわりにレーズンがはいった鯛焼きもどきなどを見ると、うれしくなる。チーズのはいった鯛焼きを食べたという人たちとであえば、いやおうなく話はもりあがる。

しかし、にがにがしくうけとめるむきも、ないではない。とりわけ、和食の伝統をまもろうとする料理人たちには、その傾向が強くある。海外にもおりめただしい和食を普及させたいという声は、よく彼らから聞こえてくる。

とはいえ、諸外国にも、それなりの食文化はある。そこへ和食の一部がつたわり、近年は彼の地で新しい料理を派生させてきた。めでたいことだと思う。和の刺激があちらの食生活をゆたかにしているのである。和食の伝統がないがしろにされたとなげくのは、あたらない。私は、むしろことほぐべき現象だと、考える。

あれは、いつごろからだったろうか。日本風の味付けで調理されたスパゲティを、われわれはしばしば食べるようになった。

たとえば、鱈子（たらこ）スパゲティや明太子スパゲティ。きざんだ海苔をまぶし、海苔鱈子スパゲティとして味わうこともある。もちろん、本場のイタリアに、ああいう料理はない。日本人が、本場の食文化にとらわれることなく、かってにあみだした食べ物である。

そういえば、野沢菜スパゲティもあった。海苔玉スパゲティも、ちょうだいしたことがある。納豆スパゲティもあるらしいが、こちらはまだ口にいれていない。とにかく、イタリアではありえない料理を、日本側はこしらえてきた。

スパゲティだけではない。餡パンもそうである。西洋のパンと和菓子の饅頭がとけあって、あのパンはできた。ジャムパンやクリームパンも、その延長上にある。トンカツをはじめ、いわゆる洋食にも、日本人のつごうでできたものは少なくない。

外国の食文化をうけいれ、本家からは逸脱した形の食事をはぐくんできた。そして、自国のメニューを、ゆたかにふくらませている。そんな日本人に、純粋な和風を海外へおしつける権利はないと思うが、どうだろう。

ラーメンとカップ麺

先日、ラーメンが好きだという中年のアメリカ人男性から、意外な話を聞いた。いわく、彼は子どものころから、日本製のカップ麺になじんできたらしい。それで、本場の本物にあこがれだしたのだという。

こういう嗜好の歩みが、アメリカでどれほど一般的なのかは、わからない。ただ、アメリカ人にかぎらず、このごろはラーメン店で外国人の姿を、よく見かける。そこにも、カップ麺の世界的なひろがりは、いくらかあずかっているのかもしれない。だとすれば、その歴史も、ちょっとさぐってみたくなる。

カップ麺が最初に市場へでたのは、一九七一年であった。日清食品のカップヌードルが、そのさきがけとなっている。

五十代なかば以上のかたなら、おぼえておられよう。価格が百円ちょうどというこの新商品は、ちょっと高いなと感じさせたことを。じっさい、袋入りの即席ラーメンなら、当時は五十円以下で買うことができた。

だが、カップに湯をそそぐだけでいいという、その簡便性は大きく物を言う。とにかく、丼鉢を用意しなくても、ラーメンがあつらえられたのである。たとえば、野外のキャンプには、うってつけだった。路上で歩きながらいただくことも、できるようになる。

初期のカップヌードルは、歩行者天国の路上に面した店舗で、よく売られた。休日に自動車をしめだし、歩行者だけを歩かせる。銀座や新宿で、そんな試みがはじまったのは一九七〇年からであった。日清食品も、そういった機会をセールスに利用したのである。

しかし、カップ麺を市場へ押し上げた最大の要因は、欧米市場への対応であったろう。日本の食器棚には丼鉢があるし、箸もある。だから、袋入りのラーメンは、かんたんに売り込めた。だが、欧米の家庭には丼鉢と箸がない。そういう国々では、既製の即席ラーメンなど、とうていうけいれられないだろう。この非関税障壁をのりこえる手だては、どこかにないものか。

カップヌードルの商品化は、そんな模索からはじまった。丼鉢がないのなら、それにかわるものをメーカー側で用意してやろう。箸がわりのフォークもつけてやる。欧米へむけての、とりわけアメリカを念頭においたそんな戦略が、あの商品をもたらした。

軽くて断熱性のあるカップは当初、発泡スチロールでできていた。その開発にも、容器の工夫だが、日清は骨を折ったらしい。だが、努力のかいもあり、日本的な丼鉢はアメリカ的な食品カップと融合したのである。

カップヌードルのテレビ広告は、当初よく海外の食事場面をうつしていた。フランスやアメリカなどで、現地の人が食べる光景を。日清は、日本での販売を、凱旋帰国のようにあらわそうとしたのかもしれない。舶来品ででもあるかのように、印象づけたかったのか。

そうして海外へでまわったカップ麺が、今外国人を日本のラーメン店へよびよせている。文化はいったりきたり、往還の連鎖であると、かみしめる。

あとがき

若いころから、よく海外へでかけた。一九八〇年代の末から十数年間は、毎年のようにどこかへでむいている。だが、年をとってからは、やや出不精になった。新型コロナの感染があやぶまれだしてからは、外国出張をひかえている。これは、ひんぱんに世界をめぐった二十一世紀初頭までをふりかえる記録である。

国外へ、そのころよく旅をしたのは、ほかでもない。勤務先の事情による。私は国際日本文化研究センターという職場に、ながらくつとめてきた。今も、そこにいる。日本研究の国際化をめざす研究所である。海外の学術集会に参加するスタッフは、少なくない。私も、しばしば派遣されてきた。外国旅行が多くなったのは、そのためである。

もともと、物好きだったせいもあろう。私はこういう出張でできた自由時間には、街を散策した。可能ならば、周辺の地域にも足をのばしている。そこへ飛火しているかもしれない日本文化の様子を、さぐるためである。

日本には海外の文物が、これまでに数多くつたわってきた。古くは、東アジアから。そして、安土桃山時代以後は、西洋からも。それらを加工、あるいは変形させた累積の上に、われわれのくらしはある。

いっぽう、日本から海外へ伝播した文物も、存在しないわけではない。あちらからの舶来とくらべれば、その存在感は弱かろう。しかし、海をまたぐ交易は、そうとう古くから、はじめられている。少なからぬ品々や、また日本情報も、外国へとどけられてきた。

ざんねんながら、海外へおくりこまれた文物をおいかけた読み物は、あまり多くない。数をくらべれば、日本へ伝来した側を論じた文章のほうが、はるかに多かろう。両者のバランスには、かたよりがある。日本からの文化伝播へ光をあてた本は、もっとあってもいい。

私がそんなことを考えだしたのは、一九八〇年代の後半からである。

当時、私は彫刻になった二宮金次郎の歴史をしらべだしていた。その起源、および普及、そして衰退の過程にいどんでいる。成果は、一九八九年に『ノスタルジック・アイドル二宮金次郎』として刊行した。

そのおりに、気づいたのである。台湾には、おもしろい形で金次郎像がのこっている、と。たとえば、木彫りの金次郎像を売っている土産物店がある。中国史上の某詩人を紹介する絵本が、幼年期の詩人を負薪読書の姿にえがいていた。小枝の束を背中にかつぎ、本を読みながら歩くスタイルで。

日本で製作される金次郎像は、たいてい銅像か石像である。まれに陶製のものもある。しかし、木彫りの土産物は、まず見かけない。また、負薪読書の児童図も、金次郎にかぎられる。ほかの誰かが同じ構図で、幼少年期をえがかれることはない。台湾へ伝播した金次郎図は、現地適応をへて変形された。そう確信することができたのである。

台湾に二宮金次郎像がのこっている。たいていの人はこの現象を、旧大日本帝国時代の文化遺産として、うけとめよう。かつて、台湾は日本の植民地であった。学校教育にも、日本式がとりいれられている。金次郎像がつたわったのはそのせいだということで、納得してしまうだろう。

だが、木彫りの土産物にばけた理由はわからない。絵本の世界で、別人の人生が金次郎風に潤色される訳も、不可解なままのこる。日帝支配うんぬんという理屈では、説明しきれない。

けっきょく、私にはその謎がとけなかった。一九八九年の『ノスタルジック……』でも、そこへむきあうことをさけている。ありていに言えば、にげた。そして、今でも腑におちる読み解きができないまま、ほったらかしている。

ただ、問題を回避してしまったという思いは、私のなかに深くきざまれた。それからである。海外で見かけたメイド・イン・ジャパンへ、目がむかいだしたのは。とりわけ、それらが現地で形をかえている光景には、強くひきつけられた。なぜ、こうなったのかと、あれこれ考える習慣ができている。

金次郎像の変容では、答えが見つからなかった。その代償を、ほかの項目にもとめていったような気がする。なぜ、生長の家はブラジルで、こうなったのか。どうして、イギリスでは「ニッポン」が、こんなふうにうけとめられたのだろう、と。

そのそれぞれに、解答が見いだせたわけではない。台湾の金次郎と同じで、問題の紹介だけにおわってしまったアイテムも、けっこうある。それでも、こういう事例の提示には意味がある。日本そのものをとらえなおす、そのいいきっかけになると、私は思っている。

たとえば、生長の家。たしかに、ブラジルでは、大きな変貌をとげた。だが、本家の日本ではそうならない。日本の何かが、その変容をおしとどめている。そこを問いつめる契機になりうると思い、原稿を書きついだ。

ここには、新聞で連載してきた文章をおさめている。その大半は、『産経新聞』（夕刊）に書いたものでしめられる。私はこれを、二〇一八年の五月から二〇二二年の三月まで、つづけてきた。『海の向こうで日本は。』がその原題である。この本では、二ページにわたる記載となっている。

三ページ分をしめている文章は、出所（でどころ）がちがう。それらは『共同通信』によせた『ニッポン七変化』から、抜粋した。連載期間は、二〇一七年の四月から翌年三月までである。

どちらも、収録にさいしては、字句修正をほどこした。いくつかのまちがいも、なおしている。本としてのまとまりをだすため、手なおしをした箇所もある。

両媒体には、発表の場をあたえていただくことができた。この場をかりて、感謝の気持ちをあらわしたい。

井上章一

【著者】
井上章一（いのうえ しょういち）
建築史家、風俗史研究者。国際日本文化研究センター所長。1955年、京都市生まれ。京都大学工学部建築学科卒業、同大学院修士課程修了。『つくられた桂離宮神話』でサントリー学芸賞、『南蛮幻想』で芸術選奨文部大臣賞、『京都ぎらい』で新書大賞2016を受賞。著書に『霊柩車の誕生』『美人論』『日本人とキリスト教』『阪神タイガースの正体』『パンツが見える。』『日本の醜さについて』『大阪的』『プロレスまみれ』『ふんどしニッポン』など多数。

平凡社新書１０２９

海の向こうでニッポンは

発行日――2023年５月15日　初版第１刷

著者――井上章一

発行者――下中美都

発行所――株式会社平凡社
〒101-0051 東京都千代田区神田神保町3-29
電話 （03）3230-6580［編集］
（03）3230-6573［営業］

印刷・製本―株式会社東京印書館

装幀――菊地信義

ISBN978-4-582-86029-0
平凡社ホームページ https://www.heibonsha.co.jp/

落丁・乱丁本のお取り替えは小社読者サービス係まで
直接お送りください（送料は小社で負担いたします）。